8.95
7.65

Collection du Chien d'or n° 5

en hommage à Louis Mailloux,
tué par l'Armée canadienne,
le 27 janvier 1875.

ACADIE/EXPÉRIENCE

Choix de textes acadiens: complaintes, poèmes et chansons

Jean-Guy Rens et Raymond Leblanc

B.P. 149, Bureau postal «N»
Montréal, Québec

ISBN 0-88512-094-9

Dépôt légal: Bibliothèque nationale du Québec, premier trimestre 1977

FLASH!

Bulletin spécial

Un adolescent de 19 ans, Louis Mailloux,
ainsi qu'un agent de police, M. Gifford,
ont été tués lors d'une échauffourée à Caraquet.

Le jeune Mailloux était recherché par la police
depuis plus d'un mois déjà, suite à l'explosion survenue
dans le magasin de M. Young, riche marchand du village
et député provincial.

Le chef de police et un agent spécial de la R.C.M.P.
ont déclaré que M. Mailloux était membre
de la cellule l'abbé Le Loutre
du Front de Libération de l'Acadie.

La F.L.A. avait maintes fois menacé de faire sauter
l'immeuble de M. Young si ce dernier
continuait à pratiquer des politiques colonialistes
à l'égard du peuple Acadien.

C'était là un bulletin spécial
du Service des Nouvelles de Radio-Canada à Moncton.

Guy Letendre

L'Acadie parle

...Je vivons en Amarique, ben je sons pas des Amaricains. Non, les Amaricains, ils travaillont dans des shops aux Etats, pis ils s'en venont se promener par icitte sus nos côtes, l'été, en culottes blanches pis en parlant anglais. Pis ils sont riches, les Amaricains, j'en sons point. Nous autres je vivons au Canada; ça fait que je devons putôt être des Canadjens, ça me r'semble.

...Ben ça se peut pas non plus, parce que les Dysart, pis les Caroll, pis les MacFadden, c'est pas des genses de notre race, ça, pis ça vit au Canada itou. Si i'sont des Canadjens, je pouvons pas en être, nous autres. Par rapport qu'ils sont des Anglais, pis nous autres, je sons des Français.

...Non, je sons pas tout à fait des Français, je pouvons pas dire ça: les Français, c'est les Français de France. Ah! pour ça, je sons encore moins des Français de France que des Amaricains. Je sons putôt des Canadjens français, qu'ils nous avont dit.

...Ça se peut pas non plus, ça. Les Canadjens français, c'est du monde qui vit à Québec. Ils les appelont des Canadjens, ou ben des Québecois. Ben coument c'est que je pouvons être des Québecois si je vivons point à Québec?... Pour l'amour de Djeu, où c'est que je vivons, nous autres?

...En Acadie, qu'ils nous avont dit, et je sons des Acadjens. Ça fait que j'avons entrepris de répondre à leu question de nationalité coume ça: des Acadjens, que je leur avons dit. Ça, je sons sûrs d'une chouse, c'est que je sons les seuls à porter ce nom-là. Ben ils avont point voulu écrire ce mot-là dans leu liste, les encenseux. Parce qu'ils avont eu pour leu dire que l'Acadie, c'est point un pays, ça, pis un Acadjen c'est point une nationalité, par rapport que c'est pas écrit dans les livres de Jos Graphie.

Antonine Maillet
in *La Sagouine*

Préface
pour une poésie acadienne

La prise de la parole en Acadie doit s'effectuer à tous les niveaux y compris celui du travail de l'écriture. Nous savons combien indispensables furent les poèmes de Gaston Miron à Montréal tandis que naissaient les forces de libération québécoise. La poésie et les complaintes que nous publions ici sont tout aussi éloignées de l'exercice esthétique gratuit que le sont les mots d'un Miron, d'un Ducharme ou d'un Germain sur d'autres terres. Il s'agit d'affirmer une existence c'est-à-dire en termes clairs: opter pour la vie contre la mort. Le projet acadien doit s'installer dans le temps. Après les premiers combats pour la libération collective et la découverte exaltée de sa force, il lui faut maintenant accepter le travail quotidien. Des espoirs ont déjà été déçus, des courages se fatiguent et pourtant la lutte continue, la lutte doit continuer. C'est dans cette conquête de la durée que l'Acadie se façonne. Notre entreprise de parti pris est une étape parmi tant d'autres, nous contribuons à déblayer une ouverture littéraire. Tout d'un coup c'est une situation géographique qui se dessine sous nos yeux, pas de la géographie pour manuels scolaires, non, mais une géographie vivante, une géographie qui chante la mer par la voix d'un Calixte Duguay et qui hurle le shiac par la voix d'un Guy Arsenault. Plus encore, quand le poète acadien parle des ouvriers à la solde d'Irving ou de la politique de patchage d'Ottawa qui prive les pêcheurs de leurs revenus pour leur faire découvrir la mobilité de l'emploi à Saint-John, il ne fait rien d'autre que mettre à jour les mécanismes de l'histoire acadienne ici et maintenant. Pas à travers les chiâlages d'un passé médié par Longfellow n'est-ce pas? mais la réalité historique des années 70. C'est dire que nous sommes enfin rendus, à pied d'oeuvre, en ce pays d'Acadie qui se fabrique pas à pas et mot à mot, face à la mer, enraciné devant la mer, cette mer omniprésente à l'intérieur de la conscience acadienne.

Le thème de la mer s'est imposé à nous dès le départ comme le point de convergence de ce qui s'écrivait en Acadie depuis les complaintes anonymes du XIXe siècle jusqu'aux recherches formelles d'un Herménégilde Chiasson. Parlons à découvert: nous n'avons rien fait pour masquer cette constante que d'aucuns trouveront facile, exotique ou folklorique. L'Acadie a droit à ses *lieux communs* tout autant que le Québec s'enorgueillit de son Fleuve, la Suisse de ses Alpes ou la Norvège de ses fjords... L'Acadie est un pays, il ne s'agit pas de Saint-Boniface ou autres chimères pan-canadiennes. Nous tenons à enfoncer les portes ouvertes. Cette littérature acadienne que nous publions ici contient une signification globale, politique entre autre. Les gens qui ont interrompu l'enseignement de Roger Savoie ou brisé les études de Guy Arsenault le comprenaient très bien. Nous aussi. Ecrire c'est vivre, c'est évidemment ne plus se contenter de la survie téléguidée par les computers d'Irving et l'infrastructure de pénurie made in the U.S. Nous n'inventons rien. Une littérature nouvelle s'offre à nos intelligences, nous constatons que l'Acadie, ça existe, et qu'un Québec fermé à l'est sur une frontière coloniale arbitraire est une duperie. Le dialogue doit s'établir: d'où ce livre.

Jean-Guy Rens
et Raymond Leblanc

Avertissement

Ce livre a été divisé en 4 sections d'inégales longueurs. Il ne s'agit pas d'un ouvrage exhaustif sur la culture acadienne. Il s'agit d'un instrument de travail et donc de combat, façonné au jour le jour. En conséquence, la section 2, sur la poésie traditionnelle, ne retient que 4 poèmes, représentatifs d'une lumpen-culture, celle de l'élite cléricale et patenteuse. La section 3 qui comprend la génération des Acadiens émigrés au Québec, est aussi volontairement limitée, ces écrivains ayant déjà obtenu une audience grâce aux media québécois. Leur oeuvre n'est pas à négliger, même si leur prise de conscience marque une étape que les jeunes générations ont déjà franchie. Le lecteur ne sera donc pas surpris de la place prédominante que nous accordons à la complainte et à la recherche poétique actuelle. L'importance des jeunes se passe de commentaires. Quant à la complainte acadienne, loin d'être un retour au passé, elle témoigne de la qualité d'une expression artistique constante dans l'histoire du peuple acadien. C'est en redécouvrant son histoire, dans ce qu'elle possède de véritablement créateur, que l'Acadie s'impose au monde. La créativité populaire apparaît aujourd'hui comme le garant d'un génie longtemps étouffé par une élite de rois nègres. Cette opposition essentielle nous montre que l'art prend ses racines dans la liberté des peuples et non dans les rouages de la répression qui ne fournit que des oeuvres prétentieuses et médiocres, des exercices de répétition et d'imitation, bref, l'image de la vie colonisée. L'art est une liberté. Ce livre en est l'illustration criante.

Nous tenons à remercier Gérald LeBlanc, Calixte Duguay, André Dumont, Charlotte Cormier, Dominique Juge et J.-C. Dupont pour leur collaboration à cette entreprise collective. Seuls leur travail et leur patience ont permis à cet ouvrage de voir le jour.

COMPLAINTES

Poésie populaire

1 *La complainte d'Exibé Thériault*

1

Ecoutez toutes, petits et grands,
D'Exibé Thériault la complainte.
C'est en pensant à mon triste-sort,
Je l'ai bien composée d'abord.

2

Je m'est mis capitaine sur l'eau,
Je conduisais mon équipage, (bis)
Je commandais mes matelots,
Dessur la mer, dans mon vaisseau.

3

J'étais aussi un homm' d'honneur,
Je trafiquais de ville en ville, (bis)
J'étais à mon aise pour quinze ans,
Mon nom parmi les grands.

4

Mais à présent tout est changé
Je ne vis que dans l'esclavage, (bis)
J'ai tout perdu mes prétentions,
J'ai fait suffrage au Cap-Breton.

5

C'est alors que ma croyance
On voulait me mettre aux chaînes, (bis)
Pour éviter la prison renfermée
J'ai été d'un pays étranger.

6

Dedans ce pays étranger
Je n'ai fait que d'verser des larmes, (bis)
Je ne vois plus mes chers enfants,
Et la cell' qu'mon coeur aime tant.

7

De d'là, je m'en est fut,
C'est dedans mon pays natal, (bis)
J'étais avec mes chers enfants,
Et la cell' qu'mon coeur aime tant.

2 *Chanson pour Tit-Louis*

1

Je vous dis franchement les amis,
J'ai « brossé » presque toute la nuit,
Le gars qui paya pour la « gang »
C'est un homme appelé Tit-Louis.

2

Tit-Louis est mon meilleur ami,
C'est un homme fort, honnête et loyal,
Il se forma une compagnie,
Qui creusa beaucoup de canals.

3

Un soir revenant de la mousse,
Son tracteur fit explosion,
Le gaz lui brûla le visage,
Tit-Louis se sauva en courant.

4

On fit venir le « fire truck »,
Qui essaya tous les moyens possibles,
Mais ce fut inutile,
Car le tracteur continue à brûler.

5

On perdit Issac dans la flambe,
On ne savait pas où il était allé,
Puis il sortit de dans les branches,
C'est là qu'il commence à parler.

6

Si je n'avais pas « truster » Tit-Louis,
Mon tracteur ne serait pas brûlé,
Maintenant tout est fini,
Il est aussi bien d'oublier.

7

En terminant ma chanson,
Tit-Louis a appris sa leçon,
Chaque fois que je le vois passer,
Il « drive » son p'tit « truck » en chantant.

3 *Petite fille qui se marie*

1

Petite fille qui se marie,
Si elle a de la peine il faut en éprouver,
C'est bien pour suivre son mari,
Tous ses parents qu'il faut quitter.

Adieu bon père, bonne mère,
C'est aujourd'hui qu'il faut se quitter,
J'ai de la peine dans le coeur,
Et j'ai grand droit d'en éprouver.

Toi mon mari, Oh toi que j'aime,
Je t'ai aimé j'en ai fait le serment,
Je te serai toujours fidèle,
Jusqu'au dernier jour du moment.

O quand je pense à mon vieux père,
Lui qu'a pris soin de son enfant,
Du souvenir de mon père et de ma mère,
Toujours je m'en souviendrai.

4 *Je me suis marié*

1

Je me suis marié,
J'en ai regret dans l'âme,
La femme que j'ai prise,
Elle m'a troublé l'esprit,
Souvent dans l'esclavage,
Même dans le petit ménage,
Le matin et le soir,
Mais tout ne va pas bien.

2

L'autre jour j'étais en peine,
Sans viande ni sans chair, rendu à la misère,
Je n'avais pas un sou.
Elle me dit te voilà encore soûl,
Avec le manche à balai
Elle me frappa la tête,
Et moi assurément,
Je murmurais un instant.

3

Elle s'en va au cabaret,
Elle boit et elle s'enivre,
Le plaisir se désire,
Elle ne pense pas même à ses 4 petits enfants,
Je les berce tous les quatre
La garce elle veut me battre,
Le matin et le soir,
Mais tout ne va pas bien.

4

C'est moi qui fais le lit,
Qui balie et qui frotte,
Ses souliers je lui frotte,
Je lui fais cuire à manger,
Elle me fait enrager,
Je lave la vaisselle j'essuie toutes les marmites
Les plats et les poêlons,
Les poêles et les chaudrons.

5

A vous autres mes jeunes garçons,
Prenez bien garde à ça,
Mettez-vous en façon,
De mettre ordre dans votre maison,
Ma femme est la plus forte,
Elle porte mes culottes,
Et moi je suis le patient,
Je porte son jupon.

5 *Le mariage du petit Gagnon*

C'est le p'tit Gagnon, qui voulait se marier,
Chez le Père Boutot, s'en est allé,
S'est trouvé là, mais pas de culottes (bis).

Le Père Boutot pas trop gêné,
Des culottes y a prêtées,
Un chapeau percé aussi des bottes (bis).

C'est à l'église il s'en est allé,
Le mariage y a pas pu payer,
Y dit monsieur rions bien,
Je vous paierai la semaine qui vient.

C'est à la maison il s'en est allé,
Sans payer le curé pas trop gêné,
Ha! dit Boutot, toujours des tours de crasse.
Va-t-en chez-vous puis garde ta piastre.

C'est à la maison il s'en est retourné,
C'est à la maison il s'en retourné,
Ils ont fait une cuite de mélasse,
Ils étaient vingt-cinq il y en eut pour quatre.

Quand ça arrivé sur la veillée,
La chicane s'est élevée,
La bonne femme s'est avancée,
La bonne femme s'est avancée.

Toute échevelée la morve au nez,
Ils ont dit ma vieille « aieuse »,
Retire-toi avec ta gueule creuse (bis).

La mariée s'est avancée,
En croyant de les séparer,
Elle a fait un saut de travers,
Elle a reçu une tappe de revers.

Quand ça arrivé vers le minuit,
Les mariés sont endormis,
Ils ont couché sur une paillasse,
Qui avait cinq ou six pouces de crasse.

Quand ça arrivé au matin jour,
Le coq chanta le jour,
Monta sur la clôture,
Pour chanter petite nourriture.

6 *En chantant vive le plaisir*

1

Puisque tout le monde désire,
Que je chante une chanson,
Je vais tâcher faire plaisir
Et je commence sans façon.

Refrain

En chantant tra la la la (2)
En chantant vive le plaisir
Et vive l'amour.

2

Après la lune de miel
Qui ne dure pas trop longtemps,
On commence par goûter le fiel
Pendant des certains moments.

3

Quand le bonhomme en colère
Lui passe le bébé,
Arrange-toi avec cette affaire
Car je suis bien embêté.

4

C'est à vous les jeunes filles
Que je fais cette déclaration.
Restez donc toujours fidèles
Et restez filles et garçons.

Refrain

En chantant tra la la la (2)
En chantant plus de plaisir
Et plus d'amour.

7 *Le mariage est le tombeau de l'amour*

Quand j'étais dans le jeune âge,
Je formulais des projets,
Je croyais que dans le mariage,
Que l'on y trouvait que de la joie,
A présent j'ai changé de langage
Oui je le dirai toujours,
Le jour de mon mariage,
C'est le tombeau de l'amour. (bis)

Ah! tout le jour dans ma fête,
J'eu ma part de présents,
J'avais une couronne à la tête,
Soit des pleurs ou des rubans,
A présent j'ai changé de langage,
Oui je le dirai toujours,
Le jour du mariage,
C'est le tombeau de l'amour.

8 *Petit Rocher*

1

Je vais vous chanter une chanson,
A propos de la mission,
Qu'on a eue cet été,
Pour essayer de nous dompter,
Les saints pères sont arrivés,
Avec toutes sortes de belles idées,
Pour essayer de nous embêter,
Filles et garçons du Petit Rocher

2

Après avoir passé toute la belle été,
A courir les chemins et aussi à danser,
Et il faut bien s'arrêter
Car les saints pères nous ont prêché,
De ne plus veiller,
Et de ne plus danser.

3

Ils ont maudit les salons,
A cause des garçons,
Qui ne sont pas achalés,
Quant à aller pour veiller
Mais asteur à l'avenir,
Ce n'est pas pour en rire,
On veille avec nos parents,
Puis c'est pas mal gênant

4

Je vais vous parler des salons,
Là c'est pire que la boisson,
On commence par un baiser,
Et on finit par des milliers,
Et à la fin des baisers,
On est obligé de se confesser
Et bien souvent,
On est excommunié.

5

Alors les pauvres garçons,
Ils sont d'une excitation,
Ils ont bien peur,
De rester vieux garçons,
Mais asteur dans les salons,
Ils n'ont plus de frissons,
Ils peuvent plus s'enfroter,
Auprès de leur bien-aimée

6

Alors les pauvres filles,
Elles ne savent plus que faire
Elles sont à pleurer,
Et aussi à grincher,
Elles n'ont plus de cavalier,
A six heures elles sont couchées,
Moi je vous dis que c'est ennuyant
Lorsqu'on a plus d'amant

7

Cette chanson a été composée,
Par des filles du Petit Rocher,
Quand elles ont plus rien à faire
Que d'essayer de composer,
Je sais que ça va déranger,
Filles et garçons du Petit Rocher
Il faut pas se décourager,
Car mes parents vont vite oublier.

9 *Les filles de Chéticamp*

1

Les filles de Chéticamp, ça mène manière d'une
[vie,
Elles veulent sortir les garçons tous les soirs.
Elles ont de l'ouvrage à faire,
Elles la laissent à leurs mères.
Un soir c'est un fricot,
Un autre soir c'est un chiard.
Elles veulent sortir les garçons tous les soirs,
C'est ça la vie des belles filles d'aujourd'hui.

2

C'est pendant le « weekend »,
Ah! que les filles sont belles;
Mais tout d'un coup v'là Fleureuse qui s'en vient,
Où sont nos filles, les belles filles de Chéticamp?
Sont su le quai des Jersais
A se montrer les jarrets.
Elles veulent sortir les garçons tous les soirs,
C'est ça la vie des belles filles d'aujourd'hui.

3

Par un samedi au soir,
Voyez la patinoire,
Remplie de filles des belles côtes et de partout.
Savez-vous pas que c'est Florent qui joue?
Les filles les ont gâtés,
Ils ont resté à coucher.
Elles veulent sortir les garçons tous les soirs,
C'est ça la vie des belles filles d'aujourd'hui.

10 *Hélas tu m'abandonnes*

1

J'ai fait le choix d'un amant bien volage,
Mais par malheur il a changé son choix,
Il n'avait pu se rappeler de moi.

2

Oh quel cruel, hélas tu m'abandonnes,
Hélas! (bis) que vais-je donc devenir?
T'en souviens-tu de m'avoir fait la promesse,
Que tu m'aimerais jusqu'au dernier soupir?

3

Mais à présent tu as changé ton coeur,
Ton souvenir reste gravé dans mon coeur,
Moi qui t'aimais du profond de mon âme,
Garderas-tu de moi le souvenir?

4

Ton nom sincère repose sur mes lèvres,
Je te le dis toujours en soupirant,
Viens donc encore que je te le répète,
Viens donc me dire un adieu en mourant.

5

Viendras-tu pour fermer mes paupières,
Puisqu'il est vrai que nous sommes délaissés,
J'emporterai avec moi dans la tombe,
Le souvenir d'un amant tendre aimé.

11 *Vieille légende*

1

C'est dans tous les pays vous voyez aujourd'hui,
Mille corps et âmes,
Elles se choquent bien, pour un mot de rien,
Pour une bagatelle,
Pendant la veillée quelques mots se sont passés,
La jeune fille se choque,
Elle lui donne son chapeau avec des gros mots,
Elle lui dit: Prends la porte,
Mais pendant la nuit la jeune fille réfléchit,
A toutes ses sottises,
Elle se disait pourtant, je l'aimais mon amant,
Pourquoi ai-je fait cette bêtise?
Demain j'irai le rencontrer à la manufacture,
Il me pardonnera bien, et je l'emmènerai sur le
seuil de ma porte.

2

Le lendemain arrive, la jeune fille empressée
Pour aller à la manufacture,
Qu'est-ce qu'elle voit en passant, elle voit son
[amant,
Avec une autre figure.
Qu'est-ce qu'elle voit accrochée à son côté, une
[autre créature.
Il lui dit en riant:
« Tu m'attendras longtemps sur le seuil de ta porte ».

3

Cette jeune fille à présent, a bientôt 50 ans,
Ce n'est plus une poulette,
Elle a perdu ses dents, et ses cheveux volent au
[vent,
Moi, je vous dis qu'elle est laide,
Après tout après tant, il y a encore des amants,
qui la regrette,
Elle caresse en roulant, elle caresse son chat blanc
Sur le seuil de sa porte.

12 *Chanson à Bonny Part*

1

La Rivière à l'Anguille c'est une jolie place,
Elle est jolie et parfaite en beauté,
Car Bonny Part vient d'arriver.

2

Par un samedi au soir, revenant des chantiers,
Oh! Bonny Part était découragé,
Car il n'avait pas soupé.

3

Là, il s'en va frapper à la porte de son frère Jack,
Oh! mon frère Jack ouvre-moi donc ta porte,
« A souper je veux demander ».

4

Marie-Marguerite s'empresse de lui donner à
[souper,
Du bon poisson et des petites crêpes râpées,
C'était assez pour le contenter.

5

Bonny Part s'escarait sur le lit de son frère Jack,
Oh! Bonny Part il était bienheureux,
Mais Jack y faisait des gros yeux.

13 *Les mets des Acadiens*

Si vous voulez m'écouter mes bons amis,
Et tous ceux qui ont bon appétit,
Restez en Acadie, Ah! oui restez-y,
On dit de quoi à manger il y en a assez.

Si vous voulez manger de la bonne soupe aux
[pois,
Allez à Memramcook, allez-y croyez moi,
Et là vous en mangerez à tous les repas,
Que vous l'aimiez ou que vous l'aimiez pas.

Si vous voulez manger des crêpes au sarrasin
Allez à St-Anselme le dimanche au matin,
Vous verrez les femmes la poêle à la main,
Vous éventerez la graisse jusque dans le champ.

Si vous voulez manger des poutines râpées,
Allez au Cap Pelé et vous en mangerez,
Il y a pas bien longtemps je suis allé me promener,
Et j'en ai tant mangées, que j'ai manqué « boster ».

Si vous voulez manger du bon petit hareng,
Allez au Barachois où ils en prennent tous les
[jours,
Par là ils n'ont pas d'arrêtes dans les dents,
Ils les avalent tous ronds comme font les goélands.

Si vous voulez manger un bon repas de poisson,
Allez à College Bridge pendant les mois d'hiver
[ils en ont tant salé,
C'est bien de leurs affaires il en ont tant mangé,
Qu'ils ont tous le nez de travers.

Si vous voulez manger un bon repas de viande,
Ah! je vous en prie n'allez pas à Cocagne,
Car les cochons de là sont dans la souffrance,
Ils font le tour de la grange en s'étirant la langue.

14 *Le garçon qui tue sa soeur*

C'est bien mon père aussi ma mère,
Ont été veiller chez leurs parents,
Et moi et ma soeur de bonne heure,
J'avons gardé le logis.
J'avons soupé bien poliment,
Avec un grand contentement.

Mais en se levant de la table,
Voulait m'embrasser bras à bras.
Et pis ma soeur de bonne heure,
A se dit qu'elle voulait pas,
J'avais mon poignard dans ma main,
Je lui enfonçais dans le sein.

Quand j'ai vu qu'elle pouvait plus vivre,
Prête à rendre les derniers soupirs,
Là je gagnai le dehors,
J'abandonnai ce pauvre corps.

Parlé: A présent, il a parti pour aller s'engager à bord d'un bateau. Il a arrivé au quai et il a embarqué à bord d'un bateau. A bord du bateau y avait un prêtre. Un bateau à voiles, y ventait une certaine brise. Quand y avions fait un bout, le bateau a arrêté. Y pouvions pas voir comment ça se faisait avec du vent et des voiles virés que le bateau était arrêté certain. Le prêtre a dit: Y a quelqu'un à bord qui va pas. Ça va mal virées.

Beau matelot, vieillard, bonhomme,
Quelqu'un nous cause du malheur,
Il mit sa main sur mon épaule,
Il me fit changer de couleur,
De sur moi il a eu un soupçon,
Que j'étais un méchant garçon.

15 *Le jour de l'Ascension*

Le jour de l'Ascension,
C'est un méchant garçon,
De sur son père sortit de la maison,
S'en va au cabaret,
Sans entendre la messe,
Se remplir de boisson,
Jusqu'à perdre la raison.

Quand il eut tout fini,
Dépenser son argent,
De sur son père tout droit s'en est allé,
En entrant il lui dit:
Bonjour monsieur mon père,
Il me faut de l'argent,
Sans attendre un instant.

Son père qui était là,
Lui a dit: Mon enfant,
Mon fils tu n'es qu'un débauché.
Le misérable enfant
Mit la main sur la table,
Prit un très grand couteau,
Mit son père au tombeau.

Sa mère qui était là,
Lui dit: Mon enfant,
Mon fils tu n'es qu'un débauché.
Le misérable enfant
Mit la main sur la hache,
Un coup dans le cerveau,
Mit sa mère au tombeau.

Sa soeur qui était là,
Lui a dit: Mon frère,
Mon frère tu n'es qu'un débauché.
Le misérable enfant
Prit sa soeur à la gorge,
Il l'a bien étranglée,
Sans en avoir pitié.

De là il s'en fut,
Se rendre à la justice,
J'ai tué mon père ma mère ma soeur,
Je mériterais la mort,
La mort la plus cruelle,
D'avoir les mains coupées,
Et au feu consumer.

16 La complainte d'Arthur Leblanc de Bouctouche

Bien chère mère, pleurez pas pour moi,
Car je suis mieux que vous autres,
Je suis sauvé comme un ange,
Les souffrances que j'ai fait depuis dix ans,
Vous maltraiterez pas Rosanne,
Et vous aurez soin de mes enfants,

Tu demanderas à Maggie à Pierre,
Pour qu'elle me pardonne,
Good-bye!
Rosanne je te pardonne,
Et pardonne-moi toi aussi
Good-bye!
Maggie, Edward, Rita et Hélène,
Je suis obligé de faire ceci,
Et faites-vous pas de peine pour ça,
Ma mère vous direz à Jean,
Qu'il boive jamais de boisson ni de bière,
Et toi aussi bois pas,
Je serais content d'avoir le prêtre,
Mais comme c'est malaisé,
Il se doutera,
J'ai essayé d'avoir le docteur pour me sortir,
Et j'ai pas pu, mais je serai sauvé pareil,
Good-bye!
Papa bois pas de bière toi non plus,
Votre fils Arthur,
Dites à Edward que je dois $4. à Albert Robichaud,
Qu'il les demande pour moi,
Ma doré c'est à Jean et ma bague aussi,
La musique c'est à Dorise et Ella,
Et au cher Père R. Hébert,
Je vous demande pardon,
Pour la chicane que j'ai eue avec vous,
L'automne passé je regrette,
Je voudrais bien vous avoir pour me confesser,
J'ai été à confesse l'automne dernier,
Et j'ai fait beaucoup de pénitence depuis ce
[temps-là,
Et je voudrais bien être enterré dans la terre sainte,
S'il en a moyen,
Il y a dix ans que je travaille avec la maladie,
Je vous reverrai au ciel,
Aurevoir!

17 *Complainte de Narcisse Haché*

1

Ecoutez tous, mes bons amis,
La complainte que j'vas vous chanter
Elle a été bien composée,
Dans la prison bien renfermée,
Elle a été bien composée
Pour l'amour de mes deux enfants.

2

Je ne peux plus avoir de justice,
Tous les témoins sont des mensonges,
J'en ai plus rien pour justifier
Que la prison bien renfermée (bis)

3

Voilà le coeur de cette femme
Après avoir fait des mensonges,
Elle a donné nos deux enfants
Pour me punir bien tristement (bis)

4

Si qu'elle aurait voulu me suivre
Après l'avoir tant demandé,
Elle aurait pas eu regretté,
Les clefs de la prison renfermée (bis)

5

Grand Dieu, pardonnez son enfant,
Rendez lui son ombre si chère,
Pour moi je la pardonne de tout
Je suis délivré-z-à mon tour (bis)

6

Je me rappellerai toujours
Quand que le geôlier est venu me voir
M'a présenté mes deux enfants,
Je les embrassai tendrement (bis)

7

Me souriant avec tendresse,
Me regardant de tout leur coeur
Ne comprenant rien de mon sort (bis)

8

C'était le premier de février,
Quand que le geôlier est venu me dire,
Sortez vite, brave prisonnier
Mes clefs vous donnent la liberté (bis)

9

Qui c' qui a composé la complainte?
C'est Narcisse Haché d'la grande Anse
C'est par l'action des faux serments,
Sa femme l'a conduit en prison (bis)

18 *C'est dans le p'tit Chipagan*

1

C'est dans le P'tit Chipagan. Il y a de jolies filles. Depuis quelque temps i's ont plusieurs amants. I's vont aux bals, aux divertissements; et, dans les intervalles, pour plaire à leurs amants.

2

C'est dans l'automne dernière, malheur est arrivé. C'est un gros navire qu'il s'est trouvé englacé. Et l'équipage sont des braves gens. Ils ont le coeur fiable et la mine engageante.

3

Les coeurs compatibles d'abord ils vous ont invité ces quatre demoiselles de la veillée à bord. La table est mise et prête à les recevoir, et de ces bonnes liqueurs et prêtes à les faire boire (bis)

4

Après le repas pris, ils avaient pour leur dessert de la ...ou du vin qu'ils vidaient dedans les verres. Cette eau était si forte, a troublé le cerveau de ces quatre demoiselles qui n'en buvaient trop. (bis)

5

La plus jeune s'est mise à dire: « Ah! c'est sûr année finissant, de boire il faut nous en aller. » Elle s'est mise à dire: « J'ai perdu mon soulier, ah! vraiment dans la porte que je vais le chercher. » (bis)

6

En cherchant son soulier, la tête lui a viré, la table a viré, la bouteille a cassé. Cette pauvre fille qui n'avait rien payé, la bouteille et les verres qu'elle venait de casser.

7

Elle a monté en haut, c'était pour prendre la fraîche. Elle a entendu une voix. Revenez de table. Le coeur lui a manqué. A l'eau elle a tombé. Il faut lui tirer un cable, c'est pour la secourir. Secourir.

19 *Partis pour ce long voyage*

1

Partis pour ce long voyage,
Désirant s'engager,
C'est pour se faire instruire,
Dans le chemin de la vertu

2

Matapédia la grande route,
L'élevant le rocher Louis,
La mer a miné sans doute,
La pauvre fille s'est noyée.

3

Qu'est-ce qu'en a été la surprise,
Du jeune homme charretier,
Quand il aperçoit la fille,
Dans la mer sous le verger (?)

4

Il lui tendit une corde,
Il lui dit: « Approche viens et aborde,
Ah! oui, je te tends les bras».

5

La fille est si abattue,
Qu'elle ne s'aperçoit de rien,
Les rapides continuent,
C'est de l'emporter plus loin.

6

Vous connaissez la tendresse,
D'une mère pour ses enfants,
Dieu qui est la bonté même,
La voulait dans cet instant.

7

La vertu de ses scapulaires,
La médaille indulgenciée,
N'ont pas permis à la jeune fille,
A la mort d'échapper.

20 *La jeune fille punie*

1

Maman! Maman! veux-tu que j'aille danser? (bis)
Non! Non! ma fille, tu n'iras pas danser (bis)

2

Elle monte en haut se mit à pleurer, (bis)
Son frère arrive dans un joli bateau (bis)

3

Mets ta robe blanche ta ceinture dorée, (bis)
Embarque, embarque, dans mon joli bateau (bis)

4

La première danse a bien été dansée (bis)
La deuxième danse le pont a craqué. (bis)

5

La deuxième danse le pont a craqué (bis)
La troisième danse le pont a défoncé. (bis)

6

Les cloches du nord se sont mises à sonner (bis)
La mère demande pourquoi les cloches sonnent (bis)

7

C'est votre fille qui vient de se noyer (bis)
Ça bon pour elle, elle m'a désobéi. (bis)

21 *Le noyé de Caraquet (Charles Haché)*

C'était par un lundi matin
Tous les barques s'en furent sur l'rocher (bis)
C'est sus l'rocher qu'il s'a noyé
Il voulait jeter son ancre à l'eau
Dedans la mer il a tombé

La belle elle se dévire de bord
Dedans sa chambre qu'elle a don' été
Tout l'long du jour fait que pleurer
Tout l'long d'la nuit elle soupirait

Quand ça venu sur les minuit
C'est Charles Haché qui lui apparut
Il lui apparut, lui a parlé
C'est-il ma mort vous regrettez (bis)
Toi qui l'as tant désirée.

22 *La mort du capitaine*

En m'en revenant de l'Ile-aux-Loups,
Je me croyais fort bien sauvé,
Lorsqu'un gros vent s'est élevé,
Un vent tout au contraire,
Qui nous a bien renvoyés,
A cinq cent mille lieues sur mer.

Le capitaine s'est écrié:
Dans le plus haut des mâts il faut monter,
Le capitaine s'est écrié:
Il n'y a plus d'espérance,
Car il ne savait plus,
De quel bord était la France.

Ma foi il y a bientôt trente ans,
Que je suis dans ce bâtiment,
Je n'ai jamais rien craint,
Ni Dieu, ni vent, ni mer,
C'est la première fois aujourd'hui,
Qu'un gros vent m'est contraire.

Ma foi il y a bientôt vingt ans,
Que je n'ai reçu aucun sacrement,
Si je n'avais jeté à l'eau,
A l'eau mes scapulaires,
Je ne serais pas aujourd'hui,
En danger sur la mer.

Ma mort moi je ne la regrette pas,
Mais d'autres la regretteront,
Ah ! C'est ma tant jolie femme,
Ainsi que mes chers petits enfants,
Nous n'avons plus de père.

Quand ça sera pour m'enterrer,
Pavillon rouge vous mettrez,
Vous chanterez à haute voix,
La voix du capitaine,
Qui s'est noyé aujourd'hui,
Après une vie trop mondaine.

23 *La complainte de Firmin Galant*

C'est dans notre petite île,
Connue comme l'île Saint-Jean
De Rustico quelques milles,
J'entrevois un pauvre enfant,
Il prit une petite barque,
Il rit en s'éloignant.

Avec un peu de démarches,
Ses filets s'en va chercher,
Avec un peu de recherches,
Ses filets il a trouvés,
C'est probablement qu'il marche,
D'un pas ferme et assuré.

Hélas! Bientôt il s'arrête,
Sur le bord de son vaisseau,
Et bientôt sa main si forte,
Leva ses filets de l'eau.
S'éleva une vague haute,
Son vaisseau a chaviré.

A moins d'un mille de la côte,
Ce cher homme il s'est noyé,
Et c'était au fond de l'abîme,
Ce jeune homme il a crié:
« Dieu qui mesurez l'abîme,
Ah! Daignez me soulager. »

Ce corps pour quatre semaines,
A resté au fond des eaux,
Ses parents avec grande peine,
Le cherchaient dans son tombeau,
Jour de juin le vingt troisième,
Dix-huit cent soixante-deux.

Ce corps si pâle et si blême,
Flottant sur ces eaux si bleues,
Il a les mains et la face,
Terriblement décharnées,
Ses poissons cruelle race
L'ont terriblement mangé.

En de grandes cérémonies,
Ont été pour l'enterrement,
Tandis que chacun le prie,
Le Seigneur du tout Puissant,
Et vous désirez l'apprendre,
Le nom de ce cher enfant.

Je vais vous le faire apprendre,
Son nom est Firmin Galant,
Dix-huit ans était son âge,
Bien vigoureux et bien fort,
Plein de vie et de courage,
Se croyant loin de la mort.

24 *Le désastre de Baie Ste-Anne*

La chanson que je m'en vas vous chanter,
C'est sur le malheur qu'est arrivé,
C'était un vendredi soir,
Les pêcheurs avons été « driver »,
La tempête s'est élevée,
Y'a moitié qui ça noyée,
Y'en a de zeux qui ont été ramassés,
Lorsque leur bateau a été chaviré.
Et remercions les pêcheurs qui ont fait la charité,
De les avoir ramassés,
Avant qui ont pu caler.
Le samedi matin fut arrivé,
Vous voyiez leur bateau arriver,
Y arrivions à la côte tout brisés et calés,
Là on en a trouvé à bord de ces pauvres noyés,
Le dimanche c'est une vraie belle journée,
Vous voyez tout le monde s'y promener,
Ils se promènent le long de la côte,
C'est pour chercher des noyés.
Là, ils en ont trouvé alors plusieurs de la Baie,
O Grand Dieu que ça fait pitié.
Il faut prier le bon Dieu comme vous voyez,
Il faut demander au bon Dieu pour qu'ils soyons
[tous sauvés,
C'est pour les enterrer avec leur parenté.
Vous avez souvent entendu parler,
Dans l'Allemagne ousqui avait tant de prisonniers,
Vous en entendiez parler c'était ienque comme
[une pensée,
Car vous saviez dans l'Allemagne vous n'aviez pas
[de parenté.
Vous avez aussi entendu parler,
Du malheur qu'arrivé à Nouvo Scotié (Spring
[Hill???)
Quand que la mine a « blowé »,
Tant de monde qui ça fait enterrer,
Ça vous faisait pas grand' chose car c'étaient des
[étrangers.

Ce qui fait plus pitié vous savez,
C'est les pauvres petits orphelins que vous voyez,
Y ont plus ienque ieur mère pour les élever,
Y ont pardu ieur père car ils s'avont noyés,
La chanson vous pouvez l'oublier,
Et aussi celui qui l'a chantée
Je vous demande alors de jamais oublier,
Vos pauvres noyés que le bon Dieu a emmenés.

25 *Pichi*

Venez entendre le récit,
D'un appelé Sylvain Pichi,
Il a fait un tour « salop »,
Il a tué le chien à Paneau,
On m'a dit qu'il l'a fusillé,
Dans sa cave il l'a amarré,
C'est par un jeudi à midi,
Pichi arrive à la « factrie »,
Il dit qu'il est venu chercher,
Un vaisseau à goudronner,
Mais il y avait dans son idée,
C'était d'amener Cabé,
Pichi, si tu allais plus souvent,
Recevoir les sacrements,
Tu vivrais bien plus en paix,
Avec ta femme et tes enfants,
Tu aurais pas toujours l'idée,
De tuer tous les cabés,
Quand tu iras au confessionnal,
Pour réparer ton scandale,
Le bon curé te dira:
Va-t-en payer ce chien-là,
Car tu le paierais bien chaud,
Le Cabé à Joe Paneau,
Si tu vas en Paradis,
Sans avoir payé le prix,
Le bon saint Pierre te dira:
Va là-bas dans le trou d'en bas,
Là où tu le paieras bien chaud,
Le Cabé à Joe Paneau.

26 *C'est toi belle Acadienne*

Je pars c'est pour un jour,
Adieu mon coeur mes amours,
Je pars c'est pour un jour,
Ma petite mignonne,
Tous allons dire adieu,
Je pars c'est pour ces îles,
Pour ces îles éloignées.

Adieu belle il faut se laisser,
Adieu il faut s'embarquer,
Adieu belle il faut se laisser,
Le navire sur la pointe,
Tout prêt à s'embarquer,
Les ancres et les cordages,
Tout est bien préparé.

Mon cher amant là-bas,
Quand tu seras dans ces Etats,
Mon cher amant là-bas,
Il y a des Américaines,
Qui sauront charmer ton coeur,
Et moi pauvre Acadienne,
Je resterai sans bonheur.

Quand je serai dans ces Etats,
Non belle je t'oublierai pas,
Quand je serai dans ces Etats,
Il y a point d'Américaines,
Qui sauront charmer mon coeur,
C'est toi belle Acadienne,
Qui fera mon bonheur.

27 *La vie du voyageur*

Veuillez excuser la compagnie,
La chanson que je vas vous chanter,
Du temps, je me rappelle mon jeune âge,
Du temps, que j'étais tout petit garçon,
Je grandissais dans l'agrément
Je voyais partir tous les jeunes gens,
Quittant leur foyer paternel,
Pour entreprendre la vie de voyageur.

Rendu à seize ans à peine,
Moi il m'en fallut en faire autant,
Un jour je disais à ma mère,
Je pars je reviendrai dans un an,
Le lendemain les larmes aux yeux,
A mes parents je faisais mes adieux,
Je partis tout seul dans ce monde,
Pour entreprendre la vie de voyageur.

Rendu au terme du voyage,
Je m'empresse d'écrire à maman,
Pour lui donner de mes nouvelles,
D'une bonne façon je n'ai pas retardé longtemps,
On monte aux chantiers après avoir hiverné,
J'ai quelques piastres de gagnées,
Il faut descendre à la ville,
Il faut fêter notre voyageur.

En arrivant à l'hôtel,
Bonjour messieurs approchez-vous du comptoir,
Un bon voyageur à l'hôtel,
Faut qu'il invite tout le monde à boire,
Les quelques piastres sont vite dépensées,
Dans une semaine il nous faut remonter,
La vie s'écoulait comme un rêve,
Première année d'un jeune voyageur.

Un soir sur la rue se promène,
A petits pas bien carrément,
Avec une jolie demoiselle,
Lui parle d'amour bien poliment,

Un regard doux et des beaux yeux,
Des jeunes gens ils sont amoureux,
Elle a bien su charmer son coeur,
Première folie d'un jeune voyageur.

Rendu à l'âge de quarante-cinq,
La vie n'est plus de la même façon,
Les filles nous regardent à peine,
Quand on les salue bien poliment,
On a de la peine à travailler,
A tous les soirs on est fatigué,
On regrette mais il est trop tard,
D'avoir été si bon voyageur.

Vous qui riez à m'entendre,
A votre santé je me verse à boire,
Avant tout une chérie dans ce monde,
Mais avant tout qu'elle soit franche et sincère,
Buvons un petit coup ménageons les sous,
Aimons les jeunes filles aux yeux doux,
Rendus à l'âge de cinquante ans,
On sera encore tout jeune voyageur.

28 *Chauffe fort*

Un jour à Montréal étant sans travailler,
Je m'en fus au Grand Tronc,
C'était pour s'engager,
Le conducteur me crie:
Ah! Veux-tu t'engager,
Embarque sur mon char,
Et commence à chauffer.

Refrain

En sortant de la gare,
J'allume un bon cigare,
J'étais pas bien assis,
Que l'ingénieur me crie,
Rendu à Montréal-ouest,
Là j'ai ôté ma veste,
Et je me suis planté bas,
Ah! C'était pour chauffer.

Rendu à Carillon,
Tout près d'une heure et demie,
Je demande au conducteur,
S'il était près de midi,
Mais il me répondit,
Il est temps de souper,
Je m'écrie Oh! Mon Dieu,
Moi qui n'ai pas encore soupé.

Rendu à Ottawa,
J'étais pas mal tanné,
Je demande au conducteur,
De me laisser débarquer,
Le conducteur me dit:
Si tu t'es engagé,
Tu débarqueras mon drôle,
Quand le voyage sera terminé.

Tous vous autres mes jeunes gens,
Qui êtes sans travailler,
N'allez pas au Grand Tronc,
Car ils nous font chauffer,
Les conducteurs sont « rough »,
Ils nous mènent comme des poches,
Quatre cinq sur la tête,
Et cinq ou six coups de pieds dans le fond.

29 *Le départ de Malpèque*

1

Qui est la cause que nous sommes ici?
C'est les mauvais gens de notre pays.
Tout d'une bande
Contre les Acadiens,
Et tous ensemble,
Ils vivent de nos biens.

2

A peine cueillons-nous un grain de blé,
Il faut aussitôt aller leur porter,
Ces gens barbares,
Sans aucune charité,
N'ont point d'égard,
A notre pauvreté.

3

De quelque condition que nous soyons,
Faut leur donner à chacun un mouton,
Quelle misère!
Dieu nous a-t-il bien mis,
De sur la terre,
Pour qu'ils nous fassent mourir.

4

Nous voyant ainsi maltraités,
Nous fûmes résous de nous en aller,
De poste en poste,
Ne sachant où aller,
C'est à la Roche
Qu'on a venu demeurer.

5

La première année qu'on fut ici,
Nous fûmes tous ruinés par les souris,
Dieu par sa grâce,
A fait l'année suivante,
Une abondance,
De grain et de froment.

6

N'ayant pu semer qu'un boisseau de blé,
Vingt-trois boisseaux nous avons récoltés,
La Providence,
Nous a favorisés,
D'une abondance
Plus qu'on peut espérer.

7

Nous sommes assez contents d'être ici,
Sans regretter même notre pays,
Mais notre père,
Qui nous a élevés,
Ça nous fait peine,
De le voir exposé.

8

A la fureur de ces lions,
Qui ont dessein d'agir en trahison,
D'un jour à l'autre,
On craint d'être avertis,
Qu'un grand malheur
Soit arrivé à lui!

9

Ces chers enfants ayant appris cela,
Sans considérer aucun embarras,
Leur très cher père,
Ils ont été retirer,
De la fureur,
De ces loups enragés.

30 *L'exilé*

Pourquoi Dieu me tient-il sur la terre,
Si ce n'est que pour me faire souffrir,
Mon épouse et ma soeur qui me sont chères,
Et moi aussi loin de mon pays.

Refrain

Si heureux au pays natal,
Nombreuses fois penser à nous,
Car si je meurs à Montréal,
Mon coeur sera toujours au pays.

Après plusieurs années d'existence,
Que je fus si longtemps exilé
Dieu me donna pour ma récompense
De ne point mourir exilé.

Je suis seul exilé sur la terre,
Eloigné de tous mes bons amis.
Eloigné de ceux qui me sont chers,
Et moi aussi loin de mon pays.

31 *Ecoutez tous mes bons amis*

Ecoutez tous mes bons amis,
Et vivez à votre aise,
M'en va vous chanter un récit,
De nos plus grandes misères.

Il faut monter dans les chantiers,
En quittant votre femme,
Pour s'en aller dans le bois,
Comme des loups pendant de longs hivers.

Vous savez tous mes bons amis,
Dans ces chantiers il faut travailler sans cesse.
Il faut travailler le jour de la Toussaint,
Aussi les autres fêtes.

Le jour de l'An pareillement,
Notre maître le réclame,
Si Dieu prend pas pitié de moi,
Je crains pour ma pauvre âme.

Il faut aussi que je lava mes hardes,
Pour pas que les poux me mangent,
Vous savez tous mes bons amis,
Ça c'est une vie étrange.

De se voir laver son butin,
Le saint jour du dimanche,
Il faut que je finisse ma chanson,
Quand même c'est le dimanche.

A présent que ma chanson est chantée,
Passez-moi la bouteille,
Que je salue la compagnie,
En saluant la belle.

32 *En pays étranger*

Ecoutez jeunes gens c'est la tristesse ici,
C'est un jeune homme en quittant son pays,
Quittant si jeune encore ses parents attristés,
C'était pour s'en aller en pays étranger,
Parti de chez lui c'était pour s'en aller,
Dans les Etats-Unis pour y travailler,
Mais ce brave jeune homme,
Ne croyait pas rencontrer la mort aussi funeste,
Qui lui était destinée.

Hélas! Par un jour il était dans le bois,
En abattant un arbre en faisant un faux pas,
Et ce brave jeune homme croyait bien éviter la
[chute,
Et cet arbre qui vint l'écraser,
Il s'écrie tout de suite,
Oh! Ma chère amie à mon secours
Car je vais mourir,
Tout le monde s'empresse,
C'était pour le dégager.

Son corps était tout déformé,
Et aussi tout meurtri,
Son cousin Joseph sur son corps animé,
Se hâte, s'empresse c'est pour le dégager,
Hélas! Quel spectacle de voir en sanglots,
Son corps était tout déformé et tout meurtri,
Il le prit dans un lien pour le transporter,
Dans un petit camp,
Qui était un peu éloigné.

Il est sans connaissance,
Et il reste ainsi pendant deux jours,
Sans un signe de vie,
Il s'écrie tout de suite,
« Allez chercher le docteur,
Le plus proche amène le ici,
Mais le docteur enfin, si longtemps désiré du
[malade,

Il leur a bien déclaré,
Je ne crois pas qu'il en meurt de cela.

Mais souvent l'homme de sciences,
S'est quelquefois trompé,
Car c'est deux mois plus tard qu'il est décédé,
Au pied de son lit son frère qui y est aussi,
En lui disant: Jérôme,
Je crains bien de mourir,
Mais je voudrais cher frère avant de mourir,
Voir mon père et voir ma mère,
Qui m'avaient tant chéri.

Jérôme console-toi,
Car tu ne peux voir ceux que tu désires,
Ils sont bien trop éloignés,
Enfin résigne-toi tu ne peux les voir,
Espère de les revoir un jour au Paradis,
Enfin ses désirs sont bientôt accomplis,
Ensuite son frère l'a transporté chez-lui,
Ah! Quelle journée de larmes pour ses parents,
Ils voient le corps agréable mort et enseveli.

33 *Pierre à Eusèbe*

Approchez-vous si vous voulez entendre,
Une complainte qui vous fera comprendre,
Que l'homme n'est pas pour toujours ici-bas,
Amis qu'un seul pas peut l'conduire au trépas,
Un jeune garçon d'une honnête famille,
Croyant gagner quelque bien si fragile,
S'en est allé aux Etats-Unis,
Croyant toujours revenir au pays,
De ses années le nombre était fini,
Quoique bien jeune il doit perdre la vie
Car le Seigneur avait marqué sa fin,
Il s'est noyé c'était ça son destin,
Par un beau jour qu'il était à la pêche
Le temps n'avait aucun signe de tempête,
Après avoir fini sa tournée,
En s'en revenant sa chaloupe a sombré,

Ah ! si des mots l'homme pouvait décrire,
Du pauvre enfant la frayeur, le délire,
En se voyant lancé dans un instant,
En face de son juge tout-puissant.
Une de ses soeurs l'a apprise la première,
Par les journaux cette triste nouvelle,
Tout aussitôt elle va s'informer,
Si la nouvelle est la réalité,
Elle a appris la vérité réelle,
Elle a écrit une lettre à son père,
Lui demandant de ne pas trop s'attrister,
Que son très cher frère Pierre était noyé,
En faisant la lecture de cette lettre,
Ce pauvre père faillit perdre la tête,
Mon Dieu ! dit-il, que c'est affligeant,
Mon pauvre enfant est mort sans sacrements.
Quand ils apprirent la nouvelle à sa mère,
Elle adressa au ciel cette prière :
« Très Sainte Vierge ne l'abandonnez pas,
Priez Jésus de lui tendre les bras,
Très Sainte Vierge, ô Mère protectrice,
De notre enfant soyez médiatrice,
Notre cher fils, daignez intercéder,
De ses péchés que Dieu daigne lui pardonner,
O chers parents, je prends part à vos peines,
Et à vos larmes et à vos justes craintes,
Mais il ne faut qu'une seule bonne pensée
Pour mériter l'heureuse éternité.
Je le comprends, votre peine est cruelle,
Que son corps n'est pas dans le cimetière,
Qu'il a resté dans un pays étranger,
Sur son tombeau pas pouvoir prier.
Mais si dans les cieux son âme repose,
Ce pauvre corps, c'est si peu de chose.
C'est une poussière, c'est une vaine fumée,
Qu'à chaque instant est près à s'envoler,
Ils ont trouvé dans le fond de sa malle,
De la Sainte Vierge, ils ont trouvé une image,
De Saint Joseph patron de la bonne mort,
Sans doute il aura pris soin de son sort,

Celle qui a fait cette complainte,
A tous de dire un Pater et un Ave,
Ce serait peut-être, assez pour le sauver.

34 *La vie dans les bois*

C'est dans l'état où nous sommes,
Sur le point de la misère,
Dans un chantier bien éloigné,
Et dans un bois sauvage,
Occupés à de longues journées,
Pour de bien petites gages.

Croyant d'y faire un bon hiver,
Dans cette vie sauvage,
On s'est accompagné toutefois,
Avec bien du courage,
Pour y éprouver tous les froids,
Et les peines du travail.

D'ici l'on part de grand matin,
Pour aller à l'ouvrage,
Et l'on s'en revient qu'à la nuit,
Avec une faim enrageable,
Cela nous y fait bien penser,
A nos parents aimables.

Dedans ces bois, la vie n'est pas,
Une vie bien heureuse,
Lorsqu'on ne voit que le ciel et la terre,
Les arbres qui sont nombreux,
On les regarde si souvent,
Qu'ils deviennent ennuyants.

Lorsqu'on s'arrête les idées,
Les idées de sa tête,
On pense souvent à l'avenir,
Si on se reverra peut-être,
Auprès de tous ses bons parents,
Et de la jolie maîtresse.

Vous tous jeunes gens de Chéticamp,
Prenez donc mes avis,
Ne venez jamais dans ce bois,
Pour gagner votre vie,
Il faudrait mieux pour tous vous autres,
Hiverner à crédit.

35 *Clark City*

1

Ecoutez jeunes gens,
Ecoutez la chanson,
Qui a été composée,
Sur le voyage le deux mai,
On partait le dimanche,
C'est pas ce qui donne de la chance,
Pour aller à Fox Bay,
Pour être rayonnés.

2

Couchés sur le sol
Moi je vous dis que c'est cruel,
Avec des gros biscuits,
C'était pas mal maudit,
Arrivé à l'Anticostie,
Moi je vous dis que c'est un négoce,
A fallu débarquer,
Pour trouver de quoi manger.

3

Arrivés à Clark City,
Les chars ont « déraillé »,
A bien fallu r'grayer.
Et tout monter à pied,
Arrivant vers quatre heures,
On est arrivé en haut,
Tout aveuglés de sueur,
Chacun son portemanteau.

4

Quand ça vient pour se coucher,
Pas de lits de préparés,
Il faut trouver Ouellet,
Pour avoir une couchette,
On s'en vient quatre par quatre,
Tout chacun avait sa couverte,
Pour tâcher de s'arimer,
Un lit pour se coucher.

5

Ah! durant le dimanche,
Jusqu'au lundi matin,
Tout le monde s'y raconte,
La misère qui s'en vient.
Je vous dis que dans la « tank »,
Qu'on travaille comme des bêtes,
Ainsi que sur les « grinders »,
Qu'on y versait de la sueur.

6

Ils disent que les belles heures,
Ils disent que c'est l'heure,
Ainsi que le Calvaire,
Qui y mettent les enfers,
Je vous dis sur les machines,
Qu'on a de la discipline,
Après la journée passée
Les jambes sont maganées.

7

Ce fut par un midi,
Qu'on en fut bien surpris,
On vient nous annoncer,
Qu'on va avoir le mois de mai,
Ne soyez pas inquiets,
Sur vos « time checks »,
Mais travaillez tout le temps,
Et parlez pas de rien.

8

J'vous dis que c'est Arsenault,
Mais qui nous pèse sur le dos,
A toutes les heures de la nuit,
Il vient nous prendre au lit,
Il nous appelle en arrière,
Avec toutes ses histoires,
Avec toutes ses mentries,
Il nous a pour la nuit.

9

Avant de la finir,
Je vais vous raconter,
Un mot de mes pensées,
Et de mes plus grands désirs,
Prions donc le bon Dieu,
Mais pour qu'il nous protège,
De ne pas nous engager,
Encore une autre année.

Composée vers 1912

36 *Le bûcheron du Lac Saint-Jean*

Si vous voulez travailler,
C'est au Lac Saint-Jean,
Qu'il faut aller,
Vous aurez tout ce que vous voulez,
Moi je vous le dis que j'ai sacré,
Avant de pouvoir m'accoutumer.

Le lendemain matin,
Quand je m'ai levé,
J'ai été pour déjeuner,
J'ai entré dans l'écurie,
En croyant que c'était la « cookry »,
Moi je vous le dis que j'ai cherché,
Avant de pouvoir la trouver.

Quand ça vient pour déjeuner,
Ils m'ont crié pour les « beans »,
Moi j'ai crié pour le gâteau,
Qui était noir comme du corbeau,
A cause que j'étais « en sacres »,
Le « cook » était en tabernacle.

Il dit toi mon Nouveau-Brunswick,
Tu feras pas ça « icitte »,
Là il prit son tablier,
Puis il commence à se moucher,
Moi je vous dis qu'il était fâché,
Il avait la barbe « élongée ».

A bout de deux semaines passées,
J'ai été me faire « settler »,
Avec ci puis avec ça,
Il y a quinze piastres qu'il me resta,
Là, j'étais découragé,
Qu'est-ce-que je vais faire pour m'en aller.

Quand j'ai arrivé à Québec,
J'ai été me mouiller le bec,
Quand j'ai arrivé à Lévis,
Je filais comme un maudit,
Là j'ai pris pour Tracadie,
Pour aller voir ma petite chérie.

37 *Le frère perdu en forêt*

Il y a un an que je suis marié,
De mon épouse que j'aimais comme la rose,
Par un matin qui était le lundi,
Moi et mon frère pour monter au cinquième,
J'ai bien monté de bocages en bocages,
Je savais pas de quel côté marcher,
Me sépara d'avec mon frère Joseph,
Prenant un chemin de chacun notre côté (bis)

Tout aussitôt je lui jeta un cri,
Sans que je puisse retourner sur mes pas,
La nuit fatal' pour moi aussi supplice
Dans la noirceur et dans la liberté,
Je dus casser un lit de sapinage,
Pour me coucher croyant de me reposer
Le froid alors vint glacer mon visage,
Et me força de me faire relever (bis)

J'ai bien marché tout alentour d'un arbre,
J'ai bien marché en croyant de me réchauffer,
La neige alors qui tombe en abondance,
Et qui tombait sur mon corps épuisé,
Priez pour moi mes amis de la terre,
Car une pauvre âme devait s'anéantir,
C'est devant Dieu ce juge redoutable,
Comme une pauvre âme devait s'anéantir (bis)

Le lendemain, tout le monde aux alarmes,
Prenant le bois de chacun leur côté,
Ils l'ont trouvé, il n'avait plus de charmes,
Ils l'ont trouvé tout gelé et sans vie,
Sa pauvre mère qui tombe en défaillance,
Et de sa femme huchait les plus hauts cris,
Consolez-vous parents inconsolables
Vous savez pas de quelle mort vous mourrez (bis)

38 Le sauvetage de Moose River

1

C'est dans une mine de Moose River,
Que trois hommes furent enterrés vivants,
Pendant que sur la terre entière,
On pleurait le sort de ces pauvres gens,
Et tout leur espoir,
Montait dans le soir,
Une fumée disant que sur la terre,
Les malheureux luttent contre la mort,
A genoux sur la froide pierre,
Priaient que Dieu ait pitié de leur sort.

2

Alors de grands cris de détresse,
Sortaient de ce tombeau vivant,
Pendant que l'eau montait sans cesse,
L'un contre l'autre se réchauffaient.
Mais quelqu'un là-haut,
On appelle le héros.
Du courage et plein de vaillance,
Les mineurs aux bras d'acier
Creusaient la terre sans défaillance,
Faisant face au plus grand danger.

3

Malgré les longs jours de fatigue,
Ils ont vaincu le dur rocher,
Leur drame reprit, creusaient la mine,
Pour délivrer les trois hommes murés,
Ils frappaient plus fort,
Sur le roc d'or.
Après de longs jours de souffrance,
Découragés prêts à succomber,
Mais un fil donna l'espérance,
Que bientôt ils seront sauvés.

4

Le coeur brisé rempli d'angoisse,
Trois pauvres femmes et leurs enfants,
Attendaient l'heure de la délivrance,
Priaient pour qu'ils reviennent vivants,
Hélas un des trois
Ne reviendra pas.
Apprenant la triste nouvelle,
Essayant de vaincre la mort,
A leur part firent un dernier appel,
Triomphant à tout leur effort.

39 *Petit Jean et Mathilde à Isidore*

C'est petit Jean qui prend sa hache,
Chouc, chouc, chouc,
Il s'en va couper du bois,
Voilà le midi qui sonne chouc,
Comme il attrape ça et p'tit Jean s'en revint pas.
Y avions gardé de la soupe chouc,
Et un petit morceau de lard,
Tandis qu'il mangeait sa soupe chouc,
La chatte a mangé son lard.
C'est Mathilde à Isidore elle a un gen (anneau) [d'or,
Elle est cornuse, elle est bossue,
Elle est tordue, elle semble une tortue.

40 *Les gens de Cocagne*

1

Là-bas sur la montagne j'ai entendu
Le rossignol chanter, et il disait dans
son langage: « Il y a des filles qui sont
malheureuses de se mettre en ménage ».

2

Les gens de Cocagne ne sont pas des gens fiers
Les petits comme les grands ça boit tous du [whisky.
Ils n'ont pas d'argent pour passer le jour de l'An,
Mais ils ont du whisky pour traiter leurs amis.

3

Le voilà qui vient,
Le p'tit Cléophée à Adélin,
Y'avons acheté un petit casque blanc
Hi, hà, hà, qu'il est beau avec ça.
Le fusil à Bonaventure,
Est pas meilleur qu'un pichet de bouchure.

41 Complainte de la Dépression

Dans la paroisse du Cap-Pelé,
On a presque plus rien à manger,
Tandis que dans les Trois-Ruisseaux,
On mange du pain puis de l'eau,
C'est pas utile d'aller à Tédische,
C'est pas meilleur dans le Saint-André,
On parlera pas des Arlupiens,
Ils sont en train de mourir de faim.

Ça va venir, Ça va venir,
découragez-vous pas,
Moi j'ai toujours le coeur gai,
Et je continue à turlutter.

Dans la ville de Montréal,
Après tout on est pas mal,
Dans la province de Québec,
On mange du pain de blé sec,
C'est pas utile d'aller aux Etats,
C'est pas meilleur dans le Canada,
N'essayez pas d'aller plus loin,
Vous êtes certains de mourir de faim.

42 Complainte de Louis Robichaud

N.B. On ne parle pas ici de l'ancien Premier Ministre du Nouveau-Brunswick, mais d'un ministre au fédéral; ce dernier vit encore à Moncton.

Monsieur Louis Robichaud,
C'est un homme bien haut,
Il a su se faire élire,
En parlant d'avenir.

C'est un avocat,
Membre à Ottawa,
Oui, il ne s'occupe plus,
Des gens du Canada.

Les gens du comté de Kent,
Ils sont pas mal en peine,
D'arrêter de pêcher
Cet été.

Les bateaux sont sur les côtes,
Les trappes sur les caps,
Rien ne sert de pêcher cet été,
Sans rien pouvoir gagner.

Les caps, les villages,
Ils sont tous d'une rage,
Les officiers,
Sont à les observer.

Ils passent en automobile,
Ils passent toute la nuit,
Les pauvres gens,
Qu'ils sont donc.

Les « togues » sur la mer,
Qui naviguent sur ces eaux,
D'un côté à l'autre,
Avec un grand couteau.

Ce sont les libéraux,
Qui les ont engagés,
Ils font leur ouvrage,
Comme des braves officiers.

Les filles de par chez-nous,
Se sont toutes mises debout,
Pour aller à Pogwack,
Elles sont allées à la hâte.

Elles sont allées travailler,
Gagner car leur père,
Ne pouvait pas,
Leur aider cet été.

Les « Nova Scoties »
Ont mieux travaillé,
Ils se sont choisi un membre,
C'était pour l'eur aider.

43 *La révolte de Caraquet*

Un jour un petit gars s'en allait à l'école,
Portant son catéchism' avec son premier livre,
Il rencontre le prêtr' orné de son étole,
L'enfant se prosterne malgré le froid léger,
Au bon Dieu qu'il passait avec (e) cette obole,
Arrivant à l'école, il entend dire le maître,
Dire à tous ces petits: « La loi n'est plus la même,
On ne me permet plus si payé je veux êtr',
De parler du bon Dieu de la classe que j'aime ».
Non-t-en pleurant beaucoup, voulant devenir
[prêtr',
A l'école il apprit, les nombr' et la lecture,
Se séparer de Dieu, son coeur devient rebelle,
Mais toute autorité lui semblait toujours dure,
Il finit en prison par sa main criminelle,
Sans les français la loa souffrant à la sou'llure.

44 *Marseillaise acadienne*

Allons enfants de l'Acadie,
Oui haut les coeurs assez pleuré,
Et saluons l'ère bénie,
Qui vient pour nous de se lever,
Trop longtemps sommes-nous esclaves,
D'un sort contre nous acharné,
Brisons sans tarder nos entraves,
Marchons, marchons, le réveil est sonné.

Refrain

Honneur à l'Acadie,
Vive notre patrie,
Chantons la terre des aïeux,
C'est la plus belle sous les cieux.

De nos pères suivons les traces,
Marchons sans reproche et sans peur,
Comme eux tenons toujours vivants,
Les nobles lois du vieil honneur,
Gardons leur foi et leur vaillance,
N'oublions pas leur doux parler,
Héritage reçu de la France,
Toujours sachons toujours le conserver.

Vers l'avenir avec courage,
Prenons sans crainte notre essor,
A nous la gloire pour partage,
Si nous joignons tous nos efforts,
Marie au Ciel est notre mère,
Son étendard guide nos pas,
Aux champs d'honneur à la victoire,
Frères ne tardons pas.

45 *Le mascaret court par devant*

I

Mon père sur la mer il m'envoie,
Le soir à terre il vient vers moi,
Il veut savoir si je *m'en émois,*
Des Déportés qui furent noyés;
« Penses-tu ma fille qu'ils seront vengés ? »
« Ceux qui sont morts fais-en ta joie. »
J'ai un amant personne le voit,
Qui a un bateau tout comme moi,
J'ai une guitare pour faire danser,
Et j'ai des rêves à chanter.

Refrain

Le mascaret court par devant,
Le chagrin regarde derrière,
Le mascaret engraisse le blé,
Les souvenirs viennent nous l'ôter.

II

Mon marinier il veut partir,
Seul avec moi quitter ces rives,
Pour habiter une île de rires,
Nous dormirons le long des dunes,
Nous mangerons d'la chair de lune.
Le soir nous irons sur les côtes,
Brûler tous les bateaux fantômes,
Et nous y laisserons les nôtres,
Si nos pères «*greillent*» nos navires,
Ils reprendront le goût de vivre.

III

Nous ferons la chasse aux trésors,
En Acadie il y a de l'or,
Il est caché le long des ports,
Et parfois même dans les églises,
Nous le laverons dans l'eau vive.
S'il reste des vieux qui traînent le pas,
Il faut qu'ils partent pour les Etats,
Sinon pour eux sonnons le glas.
Ah! Si mon papa le savait,
Fille battue ce serait moi.

46 *Le naufrage du Lady Dorianne*

Ecoutez mes amis
Entendez-vous le vent
Qui hurle dans la nuit
Que ç'en est énervant
Ecoutez mes amis
Ce chalutier qui crie
Et la mer qui ricane
C'est le Lady Dorianne

Ils sont partis comme tous dans l'équipage
Un beau matin quand le soleil était d'or
La femme restée seule pour garder les enfants [sages
Ne doutait pas qu'ils reviendraient au port

Ecoutez mes amis
Entendez-vous le vent
Qui hurle dans la nuit
Que ç'en est énervant
Ecoutez mes amis
Ce chalutier qui crie
Et la mer qui ricane
C'est le Lady Dorianne

A peine en route ils ont reçu le message
On leur a dit qu'il fallait virer de bord
La femme restée seule a crié dans le village
Qu'elle avait frôlé l'aile de la mort

Ecoutez mes amis
Entendez-vous le vent
Qui hurle dans la nuit
Que ç'en est énervant
Ecoutez mes amis
Entendez-vous ces cris
C'est la mort qui ricane
Sur le Lady Dorianne

On n'a trouvé qu'un canot de sauvetage
A la dérive il n'y a personne à bord
La femme restée seule n'a plus qu'à tourner la
[page
Pleurant toutes les larmes de son corps

Ecoutez mes amis
Entendez-vous le vent
Qui pousse jusqu'ici
Un appel déchirant
Ecoutez mes amis
C'est la veuve qui crie
A sa vie qui se fane
Sans le Lady Dorianne

POÉSIE TRADITIONNELLE

Les anciens

NAPOLÉON LANDRY

47 *Le petit codiac* [1]

Marée descendante

Quelle vie ardente est la tienne
Rivière de mon fier pays!
Qu'un passant ait pour toi mépris,
Moi je t'aime et t'appelle mienne.

N'es-tu pas une soeur du Nil?
L'Acadien, sur toi, ne vint-il
Pas d'exil? N'es-tu pas l'artère
Qui palpite au flanc de la terre,
Qui charrie un flot rouge et fort
Et sème la vie à plein bord?
Lorsque la lune, rouge et ronde,
Déclenche un rythme étrange à l'onde
Et que l'heure sonne au cadran,
Rivière, vers ton Océan
Tu te déverses toute entière
Et dans ta béante litière
Etales au ciel étonné
Le Grand-Rocher tout satiné
De goémon et cette épave
Aux mâts brisés, couverts de lave,
Qui les bras tendus vers le ciel
Exhale un suppliant appel
Dans l'espace où tout agonise...
Un sable implacable l'enlise!
Le vent plus sonore, le soir,
Prend son vol dans ton entonnoir.
Ton gouffre aux falaises rougeâtres

1. Fait géographique et même astronomique vraiment extraordinaire précisément tant au solstice de juin qu'à celui de décembre, quand le soleil avive son ardeur et que l'influence de la lune se fait plus intense, surtout si le vent souffle du sud, les flots de la Baie Française (Fundy) s'accumulent, se repoussent, s'éperonnent et s'élancent comme un escadron dans un chemin creux, s'engouffrent dans leur entonnoir, attei-marée montante du Petitcodiac un phénomène unique au monde. (Napoléon Landry)

Se creuse. Des amphithéâtres
Se dessinent lointains, profonds,
Comme un abîme, en ces bas fonds.
De grâce écoute ma requête,
Mer! Ne va pas plus loin!... Arrête!...

Marée montante

L'Océan, à bout se refoule.
En bas du Cap-Rouge, la houle,
D'un tintamarre de clairons,
Mobilise ses escadrons,
Et tel qu'un Titan sous la nue,
Se démène et passe en revue,
— Dieu sait pour quelle invasion, —
Sa formidable légion.
Ici, à nos pieds le rivage
Oppose une épaule sauvage
A l'effort de la haute mer.
A l'horizon brille un éclair;
Le Cap-Enragé, dans la brume,
Projette un front blême qui fume...
Un court moment, où tout se meurt,
Suscite, en l'air, de la stupeur.
Déjà la vague au large ondule,
Et pour le combat s'accumule,
Ainsi qu'un coursier trop ardent
Piaffe, prend le mors aux dents,
Hennit, bondit, se cabre, écume...
Le phare à la Pointe s'allume [2]
Prends vite ton vol sur le vent,
Gibier à la huppe d'argent!
Ralentis tes feux, grande lune!
Tiens fort tes cavales, Neptune!
Pêcheurs ne soyez pas surpris!
La vague en démence s'apprête
Au combat. — Une énorme crête

---

2. La Pointe des Beaux Monts

Se courbe, prend son galop
Engloutit tout, carène, îlot,
Attaque les flancs de la terre,
Roule et gronde comme un tonnerre,
Rage, écume, crinière au vent,
Et triomphalement reprend,
Puisque l'heure au vieux cadran sonne,
Le domaine que Dieu lui donne.

O rivière de mon pays
Quelle vie ardente est la tienne!
Qu'un passant ait pour toi mépris,
Moi, je t'aime et t'appelle mienne!

48 *Résignation*

« Ce qui manque aux souffrances du Christ, en ma propre chair, je l'achève pour son corps, qui est l'Eglise. »

(S. Paul, Col. 2-24)

Dieu seul dispose de tout être.
O Vierge, dites-nous? Peut-être
Dieu veut-il qu'un peuple soit,
Sans y penser, son Porte-Croix,
Sur les grands chemins de l'Histoire,
Et qu'il ajoute, expiatoire,
Aux spirales bleues de l'encens,
Le pur sacrifice du sang,
Comme un élément à sa gloire?
Votre mystère est infini,
Seigneur! Et votre nom béni!

EDDY BOUDREAU

49 *Dépouillement*

A Charles E. Harpe
de la Société des Ecrivains

Novembre a commencé son oeuvre:
une oeuvre de dépouillement.
Je viens d'entendre sangloter la campagne...
Elle frissonnait éperdument,
inquiète des préludes hivernaux.
J'ai remarqué mille choses qui vont périr...
Et la nature était triste;
triste comme ses arbres pleurant la beauté!
Ses grands arbres aux formes diverses;
ils étaient sans couleurs, sans feuillage, sans
[oiseaux!
Après avoir suscité le rêve, ils criaient de
[nostalgie...
Après avoir logé les virtuoses de la trille,
ils étaient seuls infiniment!
Oh! quelques feuilles jaunies, crispées,
mordues par la rafale,
persistaient comme un témoignage de fidélité
où naguère s'érigeait le foyer des branches.
Nous passions, et le décor quittait la route.
Derrière nous cependant,
il revenait à la poussière.
— Présage du dénuement des hommes —.
Quelle image, quelle ressemblance!
Quelle splendeur en cette phase d'écroulement!
Automne, grandeur et décrépitude!
J'ai perçu des bruits divers...
Surtout le cri des branches médusées par la brise.
J'ai regardé les champs couleur de rouille.
J'ai vu des hommes déchirer la terre.

Et ce dénuement transperça mon âme...
J'ai cru voir toute la souffrance humaine...
J'ai consolé des mères en deuil,
celles qui ont connu le départ
et vivent l'éternelle absence,
l'absence d'un fils, trait d'union conjugal!
J'ai prodigué le courage à des fiancées,
à celles qui ont connu le charme, la cruauté du
[rêve;
la liberté, l'indépendance de l'amour...
Toutes celles qui vont inhumer l'espoir!
J'ai vu pleurer l'enfance européenne:
une génération qui veut du pain.
J'ai pénétré dans nos hôpitaux canadiens.
Au chevet de ceux qui souffrent,
je les interrogeais...
J'ai parlé à celui qui lutte pour guérir,
à l'autre que la mort a marqué par avance.
J'imaginais l'aspiration qui meurt:
un lévite sans sacerdoce,
et combien de vocations brisées!
En outre, j'ai vu des lieux où l'on s'amuse,
où l'on chante et s'enivre;
des lieux où l'égoïsme oublie la misère,
la richesse la pauvreté!

O Dieu, pardonne aux impies...
Aux coupables révèle ta bonté.
Seigneur, à ceux qui te comprennent
permets de l'espoir.
Jette sur le monde l'indulgence et l'amour!

Divine souffrance

O toi, Souffrance invincible, brisant mes pas,
Me voilà sous ton étreinte, pris dans tes bras!
Tu veux des larmes, de nombreux sacrifices,
Rien ne te plaît que d'imposer des supplices.
Grande destructrice parcourant l'univers.
Tu franchis les cités, traverses les déserts.
Rien, point d'obstacles si hardiment tu oses,
Car pour toi, la vie semble bien peu de choses!

Autrefois l'inconnu je voulais franchir;
Mais bientôt sur ma voie j'ai brisé mon désir,
Devant ton audace je me sentis vaincu.
Et n'ayant plus d'essor, j'y renonçai déçu.
De nouveau je bondis à l'affût du destin,
Je voulais, malgré tout, m'éloigner de ton sein...
Hélas sur le tableau noir où rien ne s'efface,
Tes doigts implacables désignaient la trace.

Mon élan d'esprit, tu le devais retenir.
Courbé sous ta férule, me sentant faiblir,
Sans voix, sans courage, et n'ayant plus le choix,
Je pleure et sanglote aux visions de la croix.
Une vie nouvelle se lève à l'horizon:
Sacrifices, renoncements, les oraisons...
Mais pourquoi cette épreuve? Pourquoi tant de [souffrance?
Un jour de printemps se passe-t-il d'espérance?...

Seigneur, pour avancer il me faudra ta main.
Sans l'effort de ton être j'ai peur du destin.
Les roses et les lys, les plus forts rejetons,
Sont fiers de ton souffle pour braver l'aquilon.
Ma vie de souffrance, pour qu'elle soit divine,
Devant toi, ô Jésus, ma douleur s'incline.
Je sais l'apothéose des coeurs immolés,
La valeur immortelle des grands mutilés.

J'avais fait un beau rêve: gravir ton autel,
Elever la calice, l'Hostie vers le ciel.
Hélas! un perfide a frappé sans merci!
Et je vis l'idéal que je n'eus pas choisi.
Toi, Souffrance, cause de bien des misères,
Pourtant les élites te proclament leur mère.
Sans toi l'homme déchu ne pourrait s'élever,
Par magie tu transportes, tu fais progresser.

La douleur serait l'oeuvre du prédestiné...
Son travail est austère, souvent forcené.
Elle tire du néant, rend la vie féconde,
Dans ses deux bras notre lumière inonde.
Elle peut guérir bien des âmes délétères,
Se passe de l'action mais veut bien des prières.
Je contemple les oeuvres belles, durables,
Des autres victimes, masses innombrables.
Souffrance, qui oserait te hair?
Le ciel est là dans ce seul mot: SOUFFRIR!

POÉSIE DE L'EXIL

RHÉAL GAUDET

51

Une tourelle qui écarte les branches pour voir la
[mer;
Une chapelle de feu où dorment les rites secrets;
Une citadelle où flottent les drapeaux de l'orage;
Une tourterelle épinglée au grenier de l'enfance;
Une nacelle de brume pour les visiteurs du pays
[des songes;
Une margelle qui veille sur le torrent réuni d'un
[coquillage perdu.

52

Quand nous toucherons aux rives de l'absence
Nous chercherons peut-être le rocher...
Que le temps n'a pas marqué;
Quand nous aborderons aux quais du silence
Nous trouverons peut-être le sable
Que la mer n'a pas ridé;
Nous aurons les sources d'avril sous nos tempes,
Tout près, la mouette du départ;
Et dans nos mains ardentes,
Des papillons brûlés au feu de l'aventure.

53

Il faut que les paroles d'adieu meurent
comme des étincelles sur les galets;

Il faut que les bateliers rentrent
dans leurs maisons d'ombre;

Il faut que les dryades referment
les portes de la forêt;

Il faut que le regard apprenne à oublier
les villes, les rivages et les pistes;

Il faut que tous nos morts se retirent
avec les ressacs de la mémoire;

Il faut que les quais se noient
dans les calanques de la brume;

Il faut que les dernières îles coulent lentement
avec la coque de l'horizon;

Il faut que la dernière mouette chavire
dans les trombes de l'azur...

Dès lors, c'est la mer.

LÉONARD FOREST

54 *Pour une Amérique engloutie 1*

nos amours sont enfin fraternelles,
ta main émue guide les pas d'une fille
de Chicago,
ton oeil célèbre libération.
ton sourire féconde l'inévitable
delta des joies noires,
ta chanson attend.
ta joie multigrave se tait et se
tait, comme disque distrait.
nous avons à Chicago un frère qui
pleure,
nous l'aimons,
son été s'annonce long.
nos amours ne se diront point avouables,
nous sommes apparentés.
nous savons l'un et l'autre nos
angoisses continentales,
nous ne sommes point légers.
nous avons des silences coupables
et lents,
comme sieste africaine,
qui disent non aux blanches justices
d'un jour inavoué.
nous avons, devant nous, tout le temps
des hommes.
nous attendons.
nous avons devant nous tant d'amour
à donner,
qu'il faut enfin se quitter
pour ne point aujourd'hui se consumer.

55 *Pour une Amérique engloutie 2*

je sais une maison dans une maison
dans une ville absente,
je sais une chambre dans une chambre: y rôdent
parfois les grandes orgues séculaires,
je sais une fille dans une chanson que
chante un homme d'aujourd'hui,
je sais une femme dans une femme: j'y
habiterais comme on habite pays chaud.
j'habite une rose rouge, je m'installe au
seuil des violoncelles,
j'écoute musique dans musique, neuve et
ancienne; je chante.
je sais une femme spacieuse et ensoleillée,
elle rit, elle annonce des mondes inappris
et amoureux.
je sais une joie dans une joie dans une
femme que je connais,
je sais un lieu antérieur et beau: nos demains
y triomphent,
je sais une femme dans une femme dans une
maison dont l'oeil est bleu,
je sais désormais une ville dans une ville,
à jamais inabsente.

56 *Pour une Amérique engloutie 4*

j'ai planté partout mes jardins d'absence.
il y pousse parfois des fleurs inattendues,
blanches surtout,
tiges longues.
je ne sais qui les a cueillies.

j'ai planté partout mes jardins de liberté.
il y pousse parfois des fleurs menacées,
blanches surtout,
fleurs d'humanité.
je ne sais où les aller pleurer.

j'ai semé partout mes jardins d'avenir.
il y pousse parfois des fleurs inespérées,
blanches surtout,
fleurs d'amour,
à leur coupe, je ne sais qui boira.

j'ai planté partout mes jardins de joie.
il y pousse parfois des audaces nues,
blanches surtout,
fleurs d'été.
quand tu viendras, j'y dormirai.

(02-04-69)

57 *Nous irons dans la ville*

nous irons dans la ville
nous nous promènerons le long
des quais perdus
et nous ne dirons rien.
nous irons dans la ville
qui est morte
et nous jouerons à la mort
qui n'est rien.
nous irons dans la ville
et nous nous aimerons
le long des quais
le long des rues
sans rire ni pleurer
car la ville est morte
mais la mort n'est rien.

Lachigan s'annonce timidement de courbes en tournants,
de Belledune à Madran, de Poquemouche à Chipagan,
Lachigan mirage comme feux d'automne entre dix-sept et dix-neuf heures,
Lachigan n'attend ni demain ni gloires antérieures...
Lachigan pleure peu, et rit qu'à l'envers du temps.

Lachigan. Ma soeur écrit de Canadair: elle s'ennuie tant:
mon cousin des Etats viendra cet été parler, parler,
dire sa prospérité, faire mirer son salaire,
faire mine en partant de ne point vouloir rester,
manger, boire, parler, parler et s'ennuyer à l'envers.

Lachigan n'a pas de pont, Lachigan flambe à contre-grève,
Lachigan se mire dans l'eau renouvelée du jour à jour,
Lachigan s'annonce des châteaux en espoir, ses rêves
redisent une fois, redisent deux fois le pour
et le contre des fruits sauvages et provisoires.

J'ai dessiné pour toi une maison dans le sable,
j'ai bâti là pour toi une ville inconsolable,
c'est Lachigan,
Lachigan-sur-mer,
Lachigan doux-amer.

(Shippagan, septembre 1969)

ROGER SAVOIE

59 *Quand flambait la Saint-Jean*

1

Les jours les mois les ans s'en vont
Nous n'avons rien rien oublié
De Barcelone ou de Paris
Et maintenant nous le savons
Nos corps sont à jamais liés
Qu'importent l'âge ou le pays
Les ombres seront à jamais
Chinoises en voiles blanches
Je ne savais pas que j'aimais
Cette femme pervenche
Qui soudainement animait
Le coin d'une rue et qui danse
Mon coeur aussi
Mon sang ma vie
Jette-moi dans tes vallons blancs
Berce-moi dans les branches
De mes grands bras et que ton sang
M'avive et qu'il s'épanche
Dans les ruisseaux bleus de mon coeur
Et sur les forêts de ma peur

II

C'est vrai j'ai aussi parfois peur
De cet amour qui me retient
De ce ventre chaud qui m'angoisse
Cent fois j'ai cru que c'était l'heure
D'aller au magasin du coin
Pour me renflouer en gauloises
Et puis c'est comme une folie
Je regagne sa chambre
Je la bouscule au creux d'un lit
Où les tempêtes attendent
La lavande et la poésie
Sur la blessure un baume d'ambre

Mon Ophélie
Mon Italie
Car tout est toujours à reprendre
La guerre la paix la guerre
La cannelle et la coriandre
Les tremblements de terre
Ma biche ma folle ma tendre
Mon île perdue dans la mer

III

Je n'ai pas même écrit pour toi
Depuis sept ans une chanson
Sachant cependant que je t'aime
Si les flèches de mon carquois
N'avaient ni rime ni raison
Tous les mots sommeillaient quand même
Ça m'a pris du temps pour savoir
Où jaillissait ma source
Car les volcans les plus notoires
Dorment comme les ourses
Tisonnent leur charbon le soir
Aujourd'hui je reprends ma course
Ma comédie
Ma tragédie
Dès lors qu'un pommier en fleurs
Pourra faire la tête
Aux passants distraits de cinq heures
Ma désirable bête
Mon bélier doux ma jeune soeur
Nous saurons que plus rien ne meurt

IV

C'était à l'orée d'un été
Quand flambait la Saint-Jean Baptiste
Des cheveux chargeaient une meute
Un peuple s'était révolté
Reconnaissant sa face triste
Au sein d'une subite émeute
Mais toi et moi on se battait
Dans une odeur de menthe

Et de sueur on se hâtait
À dévaler les pentes
De la démence qui se tait
Comme une ambroise de Charentes
La femme plie
La femme crie
Écoutez la folle romance
De cette brune amante
Qui glissa dans une avalanche
O si lente si lente
Roulant la vague de ses hanches
En tenant la main de son Roi

V

Personne ne sait mieux que toi
Tirer de ma ruche le miel
Allumer les feux de mes cendres
Et faire flèche de mon bois
M'éffilocher aux quatre ciels
Dans tes éblouissants méandres
Nul ne connaîtra mieux que nous
Les châteaux de Provence
Et les septembre andalous
Les moiteurs de Florence
Les vignes entre chien et loup
Du royaume doré de France
Ma nostalgie
Mon doux pays
Tu auras toujours tes trente ans
Nous partirons ensemble
Montrer le fond des océans
À un qui nous ressemble
Qui porte mon nom et ton sang
Et que nous donnerons au Vent

VI

J'en dirai tant sur ce jésus
De cette peau de coralline
Que ton grand cri cracha du ventre
De ce cosmonaute têtu

Encore noué à sa cabine
À peine expulsé de ton ventre
Tu l'avais tissé de soleil
Au creux d'une calanque
Sur les sables fins de Marseille
Où le terrible flanque
Des coups de pied qui te réveillent
Ma belle au bois ô ma merveille
Mon Australie
Ma bergerie
Si je fus saisi d'épouvante
Quand cet intrus rebelle
Occupa de force émouvante
Notre bleue citadelle
Depuis je lève chaque jour
Le drapeau blanc de mes amours

60 *J'ai pensé à toi toute la journée*

J'ai pensé à toi toute la journée

Tu étais là, blottie à chaque dune de l'instant
Tu étais derrière chaque porte
Et les portes s'ouvraient toutes grandes
Sur le théâtre des vents.

Je voyais ton front, tes lèvres, tes cheveux,
Garnir le visage de chaque passante
Que je croisais;
Je voyais tes pas dans chaque foulée
Tes mains dans chaque prière
Et ta parole au fil des mots.

Je te criais de me répondre, de me sourire
De me donner une tape sur l'épaule
Mais chaque fois
Tu disparaissais de la cible de mon cri
Pour renaître ailleurs.

Ma journée a pris racine en toi
Tel un arbre soudain
Et voici qu'une sève étrange
Grise cette mémoire
Que le crépuscule ravive en moi.

61 *Chanson de septembre*

Lente, lente
Coule ma chanson
Et le coeur qu'elle emporte
Et la vie qui trépigne
Sans l'entendre.

Les notes qui se délient
En longues spirales de rêves
Les notes que nous pleurons
Forment cette complainte

Cette valse de feuilles
Qui se baignent dans le vent
Ce petit château de feu
Où le vide creuse ses fenêtres.

Ecoute cette vague d'accords
Imbiber le talus de rosée
Et nos silences d'amour
Ecoute ces flûtes abandonnées
Distiller les parfums du soir
Avec la tendresse de leurs doigts
Comme une gerbe de flammes
Qui pétille et qui sait
Qu'elle va bientôt mourir.

Chanson de septembre
Mélodie de bonheur
Tes arabesques montent
Dans la fumée bleuâtre
Des calumets de paix;
Tu redis les murmures de la source
Les caresses des feuilles mortes
Et l'ardeur des brasiers
Qui refusent de l'éteindre.

Quand grandira le cri
Que la terre désertique dispute à nos poitrines
[mortes
Quand nos voix auront ressuscité le cheminement
[de la vague
Je vous dirai, Orphir, les reptiles de l'eau vive
Et les nuits murées de nos visages flasques.

Quand les hommes auront bu l'océan des sillages
Que les blonds paquebots échoués dans le sang
[des mouettes
Dessineront le naufrage
Je vous dirai, Orphir, les mots qu'il aurait fallu
[dire
A l'orée des berceaux.

Mais les mots auront perdu la magie des rivages
Et nous assisterons au dépouillement de cette chair
[mêlée d'astres.

Crispations des couleurs, des sourires et des
[larmes
Crispations des orgues suppurantes de
[complaintes
Dans leurs beffrois glacés
Crispations d'une mer trop lourde pour le sable
Et le maillot de marbre des nymphes décolorées
Et les boulevards adultères
En rut de remblais blancs.

Je rêve d'un château de cartes
Crispé dans la permanence du gel
Figé en veilleuse d'espoir
Inanimé à force d'attente
Et gratuit...

Comme une vie.

(janvier 1971)

63 Mon Acadie

Poèmes à miniatures historiques 9

Mon Acadie
Frêle machine à tendresse
Albatros des perfides rois-soleils
A ventre maculé d'Abénaquis
D'eau de vie
De miroirs à peaux, à plumes
Et à fourrures.

Mon Acadie
Douce paysannerie messianique
Bras d'or étreignant
L'Atlantide de nos rêves
Riches alluvions du Bassin des mines
Aux portiques du théâtre
De Neptune.

Mon Acadie
Pauvre hochet bardé de varech
Grandeur sombrée en plein sable
Nord-sud
A rebours du songe colonial
Entre les canons dressés.

Mon Acadie
Fidèle nappe doublement séculaire
A peine sournoise
Sous la soupière ennemie
Nourrie de mirages répétés
De silences drus et crédules
Comme un temps assoupi.

Mon Acadie
Evangéline à pas feutrés
Aux yeux d'exil refoulé
Relève ses capuchons de mythe
Et tend ses bras aux nouveaux-nés.

Et clame
— Etrange ressemblance, dentelles déchirées —
Des paroles tendres
Et maladroites

AU GOÛT SALIN DU SANG.

(Nuit du 13 au 14 octobre 1972)

64 *Nuit de la poésie acadienne*

Un pays d'emprunt
Accroché au cintre de la mémoire
Beau manteau d'apparat
Et qui s'effiloche de l'intérieur
Dans l'ultime trahison
Des manches muettes
Et des épaules ployées.

Un pays transi et frileux
Comme un hôtel de brume
Qu'on aime et qu'on évoque
A grands gestes de grève
Et de héros engloutis.

Un pays qui est à nous sans l'être
Fait de visages timides
De sourires inavoués
Et d'impossibles retours.

Un pays comme une maîtresse partagée
A même la couche du plus fort
A même la fourberie réinventée
Et ce goût de haine au réveil.

Et tout à coup
Un pays dévoré
Par un feu longtemps contenu
De guitares qui chantent
De poèmes qui lèchent le coeur
De coudes serrés dans
la pénombre du songe.

Un pays au galbe chaud
Un pays au manteau de brume
Rompu comme des os
Trop longtemps cravachés.

Tout à coup
Un pays nu sans frisson
Un pays de prunelles fières
Et de poings tendus
Vers la lumière.

Tu es, mon Acadie
— Et sans douleur, cette fois —
Pays de partance.

LA JEUNE POÉSIE

DONAT LACROIX

65 *Complainte d'un vieux pêcheur*

Jamais plus
Revoir le large;
Dire adieu,
Adieu ma barge.
J'ai bien le coeur
Et le courage
D'être à la barre,
D'être aux cordages;
Braver le temps,
Braver le vent,
Braver le temps,
Braver le vent.

Mais le temps
M'a vu vieillir,
Et bientôt,
Faudra partir;
Mon corps n'a plus
De force et d'âge,
De prendre la vague
Et le tangage;
Braver le temps,
Braver le vent,
Braver le temps
Braver le vent.

66 *Jos Fedric*

1

C'est Jos Fédric qui m'racontait un jour:
Tu sais la mer ça peut jouer plus d'un tour;
Si elle te berce,
Même te caresse,
Ne te dis pas qu'elle le fera toujours;
Y'a des pêcheurs que j'avais bien connus,
Une fois du large ne sont jamais rev'nus;
La mer a eu leur dernière prière,
Et ils reposent dans le goémon vert.

2

Mais Jos Fédric avait le pied marin,
Un vrai loup d'mer comme disaient les copains;
Savait pas lire,
Pas même écrire,
Le ciel était son journal du matin;
En regardant la lune et les nuages,
Il pouvait lire écrit en première page:
Un vent léger, une tempête, un orage,
Pour tendr' ses lignes ou lever ses mouillages.

3

Un jour au large la mer était tranquille,
Pas une p'tite brise c'était calme comme un'huile;
Jos dit on s'greille,
On appareille,
Cherchons vite un abri dans l'anse de l'île;
Il n'avait pas encore saisi la barre,
Déjà le vent déchirait les amarres;
Ne pouvant rien aux fureurs de la brise,
Sa barque n'était qu'une épave en dérive.

4

Au bord des flots marchant sur les galets,
Sa vieille en pleurs jour et nuit l'attendait;
Au désespoir,
Voulait revoir,
Le vieux pêcheur le mari qu'elle aimait;
Car la tempête jetait sur le rivage,
Débris, bateaux, mâts, filets et cordages,
Lui annonçant le malheureux destin,
De Jos Fédric ou d'un autre marin.

5

Deux jours après le calme était rev'nu,
A l'horizon une goélette apparut;
A belle allure,
Doubl' la batture,
On crie c'est Jos je r'connais sa voilure;
Lui qui avait l'habitude d'accoster,
Tous les sam'dis, jusqu'aux panneaux, chargé,
Sa cargaison était là sur le pont:
Le corps de quatre de ses compagnons.

6

C'est Jos Fédric qui m'racontait un jour:
Tu sais la mer ça peut jouer plus d'un tour;
Si elle te berce,
Même te caresse,
Ne te dis pas qu'elle le fera toujours;
Y'a des pêcheurs que j'avais bien connus,
Une fois du large, ne sont jamais rev'nus;
La mer a eut leur dernière prière,
Et ils reposent dans le goémon vert.

67 *Viens voir l'Acadie*

Refrain:

Viens voir l'Acadie,
Viens voir le pays,
Le pays qui m'enchante,
Je te le dis,
Je te le chante,
Je te le crie,
Je te le montre.

1

Deux cents ans ont passé
On a fait qu'exister
Perdus dans le silence;
Si tu regardes au loin
Tu verras qu'on revient
On remonte la pente.

2

T'écout'ras des poètes
T'entend'ras des chansons
D'un matin qui se lève;
Si les airs du passé
Savent encore te charmer
Tu seras de la fête.

3

Tu verras des pêcheurs
Des gars qui ont du coeur
Et plein de courage;
L'air pur de l'océan
L'odeur des coquillages
Parfumeront ton visage.

4

T'écriras sur la grève
Tu boiras à la mer
Qui a bercé nos rêves;
T'écout'ras l'vent du large
T'raconter des naufrages
Dans une nuit trop brève.

5

Tu trouv'ras des copains
Des amis acadiens
Et qui parlent ta langue:
Si tu viens sous mon toit
Ce sera comme chez toi
On saura te comprendre.

68 *Seins*

Oh ! ces seins
ces seins qui regorgent d'extase
ces seins qui mordent à la sève
des tempêtes
ces seins qui gémissent
de nos nuits
d'oubli
ces seins de fièvre
que la douceur de nos lèvres
tue
ces seins mécaniques Lupanars
ces seins mâtés dans le froid glacial
des existences étouffées
par les tic-tac empressés
ces seins gigantesques
marqués de spasmes
et qui errent aux abords
de mes hallucinations
ces seins de chair tendre
tout humides de nos désirs
tout tremblants de nos vices
ces seins de fer
qui avivent nos illusions
et dont l'odeur caresse nos corps
Oh ! ces seins !
griseries d'amours sombres
qui vont mourir à l'ombre
des déceptions !
Et soudain c'est le fracas
de l'orgasme...

69 *Je suis un sexe*

Je suis un sexe en perdition.
Je suis un sexe qui se meurt,
    abruti.

Je suis un sexe de pulsations
désordonnées et animales
qui n'attend que l'heure
d'éclater en mille soleils,
en mille petits lupanars.

Je suis un sexe en marche,
un sexe à boutons-pressoirs,
un sexe à ventilations mécaniques,
dont l'ardeur n'a d'égale
que son instinctive volupté.

Je suis un sexe à nul autre pareil,
un sexe vierge de tout péché,
adonné au plaisir de soi.

Je suis un sexe infernal
aux oubliettes malicieuses,
outrageusement soumis à la torture
indécente de mes instincts réprouvés.

Je suis un sexe sans forme
qui n'a de plaisir que le nom
et qui cache derrière sa prometteuse
[évocation
plus de malheurs que de jouissances.

Je suis un sexe abandonné
aux turpitudes de la vie mondaine
et assailli de convoitises lubriques.

Je suis un sexe en érection
comme un arbre phallique
se détachant de ses hantises
et de ses obsessions malsaines;
un sexe ravagé par la jouvence
des amours secrets
et anxieux de renaître aux
[caresses.

Je suis un sexe orgueilleux
et fier de son orgueil
signe de puissance,
de surabondance
d'extases futures
et de souvenirs convulsifs.

Je suis un sexe végétal
au pollen déguisé
de mille couleurs chaudes et charnelles

Je suis un sexe apocalyptique
précurseur de la vie à anéantir
et de la vie à donner,
pourvoyeur d'évasions sensuelles.

Je suis un sexe mordant
la vérité solaire à pleine jouissance
et vigile immortel de la nuit solitaire.

Je suis le sexe de l'espérance
car je recèle dans les confins de ma jeunesse
la passion de l'homme;
et je peux vaincre par ma seule
[présence
les multiples frustrations de la
[chasteté.

Je suis le sexe de l'éternité.

70

C'est un long champ de neige ma tête

et sous la neige gît ton image
une autre saison froide commence

mais c'est au détour de cette dernière saison
que s'arrêtera mon ambivalence

au printemps
j'aurai annihilé les frontières giclantes
de ton phallus
posé doucement
sur mon ventre

Mon ventre muet
fermé à l'osmose magique
de ta semence à la mienne

71 *Poème transcendantal*

```
Ma poésie se désintègre.
Ma p ési   e d sintè re.
M  p  si     d  int  re.
   p   i         n   re.
   p                 re.
                     r .
                       .
```

REYNALD ROBICHAUD

72 *Brusquement...*

Tout à coup
les arbres ont pleuré
la pelouse s'est tordue de soleil
un oiseau de nuage a vaincu la brise
qui tapissait les terres
encore fumante de réveil

Brusquement l'ombre s'est retournée
pour faire face à l'odeur de lumière

Soudainement
le tic-tac de l'horloge grand-père
a retenu son bruit
pour faire jeûner le temps
L'écorce rugueuse comme une main de paysan
a baillé une faille souterraine
pour y cacher un fantôme
avec des yeux d'aveugle
et des soupirs de tombeaux

Brusquement l'oreille de bronze
capta des bruits de gamme

Subitement
le blé dans un bruissement d'ailes
mûrit et se gava de grains
l'alouette solitaire arpente
les sillons de chaume
en proie à l'obsession de l'hiver

Brusquement le fleuve
gèle ses eaux en ciel de lit

A l'improviste à l'insu de mon oeil
le lion sort de son antre
La gazelle troublée
file à une allure de mistral
Fauve contre antilope
instinct contre instinct
Le ciel est témoin d'un repas dramatique
mais sous d'autres bleus
il est aussi témoin
de massacres non plus dramatiques
sans contredit tragiques et intelligents

Brusquement les étoiles tairont leur clarté
l'aube aura rendez-vous chez le matin

73 *Vie de départ*

Le poète a changé de patrie
par une chaleur d'été il a plié romances
et voici des vers en chevauchée
sur des pensées
en galopade sur des écrits
Plus les jours s'attardent au bout des heures
plus le soleil plombe
lourd et puissant
torride...
sur un crâne étourdi
par l'épaisseur de son brouillard

Distances d'années-lumières
sur quel orbite évolue le poète
Son instinct baille en cratère
se consume en fumée
et
se volatise
Et lui ébloui par sa cloison
s'écrase sur la poitrine du soleil

Vie de départ
ébauche de sédentaire
Vie de nomade qui plante la tente
en bordure d'une oasis
sous quel palmier sous quel olivier
vas-tu faire reposer
chameaux et mules

Vie de poésie
où les vers ne sont que départ
vie de départ
où le poète n'est que retour

74 *Le mutisme du silence*

Le mutisme du silence
a figé ma langue
et mes agirs
Si l'eau stagne plus d'un jour
il me faut la boire
en assoiffé du désert

J'ai noué avec les arbres
mes racines
au fond de la terre
au sommet des hauteurs
Je me suis appuyé sur mes jambes
espérant qu'elles fléchiraient
Elles ont tenu le coup
et bien davantage

Un bouton de jade
s'est décousu de sur la chemise
d'un étranger
quand il mesurait sa force
contre une habitude
L'étranger vainqueur et vaincu
tire sa révérence
et l'habitude
ni vaincue ni victorieuse
reprit sa place de bibelot
et des deux visages...
avec le mutisme du silence

75 *Ma nuit ta lumière*

Ma nuit ta lumière
mon doute ta certitude
Dans ma tête
ma tête de regrets
je vois des choses que personne
personne ne peut voir
ni même soupçonner
sauf peut-être une rose de janvier
Cette acadienne belle brunette
je crois qu'elle...
pourrait voir dans ma tête
et dans mon coeur
Ce que je désire le plus au monde
c'est qu'elle sache lire
et mes désirs d'elle
et mes plus fades prodiges

Les filles de pêcheur
sont-elles toutes des sirènes
Il en est une dans mes pensées
c'est une fée aux cheveux d'ébène
Plus je médite sur ses traits
moins j'ai espoir
d'être celui
qui mordra dans ses lèvres
comme dans un fruit juteux
et qui puisera dans le pli de son aine
la folie qui la rendra volupté

La Joconde tantôt sourit
tantôt mélancolique
Mon Evangéline mon Iseult
mon Acadienne pour qui mon coeur
bat ses plus sourds tambours
ton sourire
reste plus célèbre dans mon oeil
que da Vinci lui-même

Le vent emporte mes pensées
et ma plume
joue sans broncher son rôle d'instrument
Ma poésie n'est pas un poème
ni une rime ni un pied
c'est un au-secours
c'est le tocsin d'une tragédie
dont on ignore le nom des victimes

Le drame des roses
qui veillissent leurs pétales
effeuillera
au soir de l'âge le pourpre de ma rose
Mon esprit s'affole déjà
de cet automne à l'odeur de vieillesse
à la vue pâle et au charme ridé
Comme je voudrais
protéger notre jeunesse
en fondant mon corps dans le tien
pour en faire un alliage
à l'épreuve de la frappe des années
La consumation de mon amour
sur le feu de tes caresses
ne pourra que faire de nous
des créateurs-artisans

Ma nuit ta lumière
mon doute ta certitude
Prête-moi tes yeux
pour que je palpe les rayons de vie
qui émanent de ton corps

Le jour ouvre son oeil-projecteur
il faut que je déguste ta bouche
que je peigne de tes doigts aventuriers
tes cheveux éparpillés
par le don excitant de l'Amour

Ma nuit ta lumière
mon doute ta certitude
hâtons-nous vers ce baiser-jeunesse
en s'attardant
dans notre étreinte
pour ne plus savoir nous dénouer

GUY JEAN

76 *Bombes*

Bombes de musée
gisant sous la poussière
de l'oeil des vétérans décorés
trophées des gloires passées
qu'on célèbre à l'alcool
de la Royal Légion
romantique souvenir
d'hommes convertis
à la patrie, mère-patrie
méchants souvenirs à tout prix.

Bombes de plastique
sous poubelles politiques
cri sporadique et vert
faisant face
à police plastique et lacrymogène
mercenaire de l'ordre
sans espoir
quelle étude sociologique
ma chère!
cependant

Bombes anciennes
guettant sous le sable
mamelon sensible
d'un sein à vieillesse trompeuse
prêt à cracher au nourrisson
la haine éternelle de l'homme
au nom d'Hitler, S.S.
Nazi, Mussolini
alliés, Montgomery
Eisenhower

Bombes des puissants
à l'acier poli
autographiées U.S.A. U.R.S.S.
Bring the money
femelles aguichantes
vendues pour une nuit
de couleurs en Arabie
juste courroux
des We Americans
au Communist Vietnam

Bombe champignon
Bingo atomique des savants
ultime alchimie
de calculs, formules
abomination
mort des nations
ententes, défenses
et pourtant
Hiroshima

Bombes orbitales
regard froid
trajectoire implacable
cybernante docile
d'idéologies sans coeur
cosmiques menottes
à l'universel
libre et ami

Bombes brutales
éclatant aux bruits et cris
de B O O M
Pou — gh
Hiss — shough
i — igh
A — a — a — gh

O bombe
suspends ton vol
et vous heures propices
donnez-nous aujourd'hui
le hockey, les peanuts
et *(67)*

77 *Marine*

j'ai mis la main
au corsage de la mer
et toute réjouie
elle m'a enfanté
le soleil
et une perle aussi

que je garde
dans ma maison
les jours de pluie
dans ma valise
les jours de montagne

rêvant aux nuits
passées ensemble
à s'écouter
respirer (66)

78 *Anglicisation*

Surgissent dans nos barques
Monstres non marins
qui happent les nouveaux-nés
les lançant
d'un rire pas de nous
qu'on connaît bien
à la dérive de l'inconscience

Nouveaux-nés rongés
par l'éternité constante
du doux mensonge
fuiront nos sillages
telles les épaves
porteuses d'histoire (66)

79 *Vieux pêcheur*

à Catherine Jolicoeur

Sa face était rude comme les rochers
faits de trous et de bosses
Et deux marres d'eau salée
dans lesquelles se reflétaient le soleil et les nuages
Deux marres d'eau qui vous fixent et déversent en
[vous
le fil des pêches et des ouragans
l'épopée des complaintes et des danses.

Sa voix — le vent fêlé coulant sur les voiles
aux harmoniques de cris, de pleurs, de roudes
Voix qui vous parvient à travers ses mains
sculptées par les amarres des brigs
et qui moulent devant vous
mots de vieux, de métier, d'amour.
Un vieux pêcheur aux humeurs de la mer
inutile, nécessaire — cela dépend
un vieux pêcheur au passé présent. (65)

80 *Hôtel Royal, 6 heures du matin*

Ils ont au fond de leurs yeux
La même lueur des matins éteints
Lavés à la monotonie
Des gestes automatiques
La peur traque les mains
Sans femme
Ils se pendent alors
Au rythme langoureux
D'un air à la mode
Mièvre mais doux à vomir
Ils ont des matins creux
Comme la soif
Qui les gruge

81 *Mouillure*

Sur la batture
Drette au suète
Une mer a charrié
Un reste de barge
Claire pis fine
Comme une éloïse
Tant elle a bu la salange
Les vagues
A force de casser dessus
L'ont dégreillée
De ses amarres:
Le goémond a lâché
Et elle a renfloué
Pour aller terrir plus loin...
N'est restée
Sur la berge mouillée
Qu'une boueille
Accotée à un bois de mer:
Un nom achevait d'y moisir —

Si je pleure
C'est que j'ai le vent
aux yeux...

82 *Crainte*

Crainte
De fausser
Le paysage
De moi
Des autres
De rien
Et de tout...
Crainte stupide
De briser
Le décor...

Mise en scène
Où je cherche une place
Ma place...
Crainte naïve
De mots
Morts dans ma tête
Qui vagabondent
A l'intérieur
Et qui ne feront rire
Personne

Fille d'ailleurs
Transplantée
Semée
Germée
Aux vagues
Puis fauchée
Sans tige
Par crainte,
Coupée
Battue
Mais jamais
Remisée...

Bouleau branlant
A terre de marais
Sans racine
Aux senteurs
De sentier mouillé
Crainte des arbres
Sans pouvoir leur trouver
Couleurs
Ou lignes
Ou rimes...

Pays de n'importe où
Entre Québec et Acadie
Pays sans géographie
Des lacs
Des corneilles
De lièvre et les perdrix
Les truites d'arc-en-ciel
Pour les Américains
Merde!

« Parlant peu, disant beaucoup »
Peut-être
Pas, pas assez...
Crainte de crier
La caresse des feuilles
La neige du rang
Où l'on ne voit
Que la fumée
Des cheminées
Par temps sec...

« Ca changerait le monde dangeureux »
Le mien
Ou celui
Que j'ai tu
Par crainte banale
Et que j'ai battu
De roulis bleus
Soyeux et humides
Crainte...
Ou lâcheté
Simplement!

(25/11/66)

83 *Réveil*

A l'ombre des mailles
Douces-amères
D'un pays
Qui vit
De ce souvenir
J'ai vision
D'un souffle nouveau-né
J'ai conscience
D'êtres qui s'animent
J'ai intuition
D'un combat gagné
J'ai espoir
D'une sève aigre
Qui claque les veines
D'un pouls éteint
Aux lassitudes écoeurantes
D'un quotidien avorté,
D'un corps
Brimé
Dans sa chair
De paria anglicisé

J'ai certitude
D'une révolte vorace
Qui gruge
Le ventre
D'un cancer puant
Ignoble destin
D'un pays
Qui se souvient
N'avoir jamais vécu

84 *Mords acadien*

longtemps tu as eu faim... 300 ans
longtemps tu as voulu... 300 ans
aujourd'hui ta bouche saliveuse... l'Eveil
glisse le sperme vital... l'Eveil
qui se faufile à travers l'Oeuf... l'Acadie
dans une lutte d'idées ciselée par la force... la
[Survie
bientôt tu fonceras... Quand?
bientôt tu vivras... Quand?
demain des fleuves se disputeront les ruisseaux
les ruisseaux déracineront les arbres
et les arbres céderont-ils aux lys?... Québec
et les arbres céderont-ils à l'assimilation?
et les arbres perdront-ils leur identité?...
philosophes politiciens partisans de l'élite
[écrasante
hypocrites profiteurs suiveux lècheux
riches anti-bilinguisme exploiteurs. L'Establishment
curés évêques papes roi reines traineux de bals
[rayonnants des gradués
endoctrineurs de la soi-disante autorité soyez
[balayés
pères mères oncles tantes cousins cousines
[parrains marraines criez
frères soeurs luttez... La Libération!
cinquante dollars vingt six onces de vin une bonne
[job
non... l'Acadie n'est pas à vendre
il n'y a pas de prix satisfaisant pour de
[l'authenticité
mords acadie mords
l'heure est proche les minutes comptent s'envolent
[accélèrent
la larve bouille et que tes dents se crispent de
[bravoure

tu es la Résistance
tu es militante et tu crois en ta Cause qui se
[révélera dans l'Epopée
tu ressens tu avances saisis ronges brises la croûte...
crache ce que tu as trop longtemps avalé
garroche-donc ta puissance
nettoie-donc le pays du vénin de ces fripouilles
[dominantes
afin que les tiens ne se salissent pas
dans une larve de sang étranger
mords Acadien mords
fonce
dénonce
compose
publie
parle
arrache
vomis
...
longtemps tu as eu faim... 300 ans
demain tu digéreras
mords Acadien la croûte t'appartient

85 *L'Acadie ma seule patrie*

France, Espagne, Angleterre surtout pas toi
Italie, Belgique, Etats-Unis bien moins
Si le Français aime sa France
Si le Russe aime sa Russie
Si beaucoup aiment la Provence
Moi j'aime mon Acadie

J'aime, et... je déteste

Je déteste parce que l'heure a sonné pour détester
Je déteste parce que j'ai longtemps appris à avoir
[honte
Je déteste parce que j'ai vu trop de choses
[détestables
Je déteste parce que j'ai vu mes parents pleurer à
[cause de l'élite

Je déteste parce que les cris et les grincements de
[dents me poignent
Je déteste parce que mes tripes se tordent
[tellement elles ont mal
Je déteste parce qu'on me rit dans la face
Je déteste parce que la révolte m'envahit
[complètement
Je déteste parce que c'est la faute des cochons
[britanniques
Je déteste parce qu'on a voulu me faire croire que
[j'étais fou
Je déteste parce que j'ai trop eu d'insolence sans
[la mériter
Je déteste parce qu'on doive tolérer ce système
[qui nous écrase
Je déteste qu'on m'enlève mes droits
Je déteste qu'on me traite de « bunch of trash »
Je déteste qu'on amende à ma culture sous
[prétexte d'évolution.
Je déteste qu'on joue en Acadie
Je déteste que l'Acadie soit mise dans les vitrines
Je déteste qu'on aliène l'Acadie
Je déteste qu'on sous-estime l'Acadie
Je déteste qu'on abaisse en Acadie
Je déteste qu'on abaisse l'Acadie
Je déteste qu'on ait faim en Acadie
Je déteste qu'on ait des mises à pied en Acadie
Je déteste qu'on chôme parce qu'il y a une élite
[en Acadie
Je déteste qu'on nous force à mendier en Acadie
Je déteste qu'on se décourage en Acadie
Je déteste qu'on se suicide en Acadie
Je déteste qu'on s'égorge en Acadie
Je déteste que pour manger, on se noie, faute de
[l'élite, en Acadie
Je déteste qu'on nous achète en Acadie
Je déteste qu'on nous arrache nos ressources
[naturelles en Acadie
Je déteste qu'on vienne nous voler en Acadie

Je déteste qu'on exploite en Acadie
Je déteste qu'on appauvrisse l'Acadie
Je déteste qu'on discrimine en Acadie
Je déteste qu'on matraque en Acadie
Je déteste qu'on gaspille en Acadie
Je déteste qu'on flâne en Acadie
Je déteste qu'on agisse pas assez en Acadie
Je déteste qu'on ne croit pas en Acadie
Je déteste qu'on reste indifférent en Acadie
Je déteste qu'on ne dénonce pas en Acadie
Je déteste qu'on soit neutre en Acadie
Je déteste qu'on écrase pas cette élite en Acadie
Je déteste que l'élite domine en Acadie
Je déteste qu'on avale tout cru en Acadie
Je déteste qu'on ait aussi une majorité silencieuse
[en Acadie
Je déteste qu'on plie en Acadie
Je déteste qu'on tue en Acadie
Je déteste qu'on ait tué en Acadie
Je déteste qu'on pleure en Acadie
Je déteste qu'on craigne en Acadie
Je déteste qu'on saigne en Acadie
Je déteste qu'on humilie en Acadie
Je déteste qu'on oublie en Acadie
Je déteste qu'on ne chante pas en Acadie
Je déteste qu'on ne danse pas en Acadie
Je déteste qu'on n'aime pas en Acadie
Je déteste qu'on n'aime pas l'Acadie
Je déteste qu'on insulte en Acadie
Je déteste qu'on insulte l'Acadie
Je déteste qu'on ait pitié de l'Acadie
Je déteste qu'on anglicise l'Acadie
Je déteste qu'on américanise l'Acadie
Je déteste qu'on ne respecte pas la liberté
[humaine en Acadie
Je déteste qu'on force à s'expatrier de l'Acadie
Je déteste qu'on ait honte en Acadie
Je déteste qu'on renie l'Acadie
Je déteste qu'on ne parle pas de l'Acadie
Je déteste qu'on déteste l'Acadie

Je déteste qu'on me déteste en Acadie
Je déteste qu'on vous déteste en Acadie
Je déteste qu'on se déteste en Acadie
Je déteste qu'on déteste ses semblables en Acadie
Je déteste qu'on déteste l'Acadien en Acadie
Je déteste qu'on déteste l'Acadien en dehors de
[l'Acadie
Je déteste qu'on blâme les Acadiens en Acadie
Je déteste qu'on piétine les autres en Acadie
Je déteste que les Indiens souffrent en Acadie
Je déteste qu'on viole les Indiennes en Acadie
Je déteste qu'on refuse de traiter humainement les
[Indiens en Acadie
Je déteste qu'on ne se sente pas chez-soi en
[Acadie
Je déteste qu'on impose en Acadie
Je déteste qu'on dicte en Acadie
Je déteste qu'on represse en Acadie
Je déteste qu'on ne bannisse pas les Antis en
[Acadie
Je déteste qu'on fasse du racisme en Acadie
Je déteste qu'on accuse sans raison en Acadie
Je déteste qu'on empêche l'épanouissement de
[l'Acadie
Je déteste qu'on ridiculise l'Acadie
Je déteste qu'on prenne des quasi-mesures de
[guerre en Acadie
Je déteste que la police ne soit plus une gardienne
[en Acadie
Je déteste que la police, la Loi ne comprenne pas
[l'étudiant de l'Acadie
Je déteste qu'on ne croit plus que l'étudiant est
[humain en Acadie
Je déteste que l'Humain ne soit plus pour
[l'Université de notre Acadie
Je déteste qu'on assomme notre Université afin
[que l'élite domine l'Acadie
Je déteste qu'on ferme le département de
[Sociologie en Acadie

Je déteste que les Sciences Sociales soient la
[Honte de l'Acadie
Je déteste qu'on se moque du département de
[Français en Acadie
Je déteste qu'on aliène le département de
[Philosophie en Acadie
Je déteste qu'on se fiche du mot « Université » de
[l'Acadie
Je déteste qu'on élimine ceux qui pensent en
[Acadie
Je déteste que des Caesar sans conscience aient
[une médaille en Acadie
Je déteste qu'on doive se taire intérieurement en
[Acadie
Je déteste qu'étudiants et profs doivent se taire se
[taire se taire intérieurement en Acadie
Je déteste qu'on donne des injonctions à
[perpétuité sur le campus de notre Acadie
Je déteste qu'on ne croit pas en la Cause de
[l'Acadie
Je déteste qu'on ne travaille pas pour la Cause de
[l'Acadie
Je déteste qu'on ait pas de gouvernement en
[Acadie
Je déteste qu'on ait des bals lors du discours du
[trône en Acadie
Je déteste parce qu'il y a trop de choses qui
[détestent l'Acadie
Je déteste parce que j'ai été forcé de détester tout
[ce qu'il y a de détestable détestant l'Acadie
Je déteste parce que je suis révolté de tant détester
en Acadie
Je déteste parce que mon père a dû lui aussi
[détester en Acadie
Je déteste parce que J'AIME, parce que j'aime
[mon Acadie
Je déteste parce que j'aime en Acadie
Je déteste parce qu'on ne déteste pas le mal fait
[à l'Acadie

Je déteste qu'on déteste la personne au lieu du
[mal qu'elle a fait à l'Acadie
Oui je déteste parce qu'on veut corrompre
[l'Acadie
Je déteste ce que j'ai toujours détesté en Acadie
Je déteste tant qu'il y aura de quoi à détester en
[Acadie
Je déteste ce qu'on voudrait que l'Acadie soit...
Je déteste... et j'aime

Si le Français aime sa France
Si le Russe aime sa Russie
Si beaucoup aiment la Provence
Moi j'aime mon Acadie.

86 *Comment te dire...*

Comment te dire ô mon amour
A toi toute seule
Le rouge vif de l'automne
Mes soleils et mes bourrasques
Le halètement des saisons
Quand le temps me suscite
A précipiter la vie
Avant qu'il ne soit trop tard

Comment te donner neige coussineuse
Vertige au bout du monde
Et vestiges à ressasser
En tourbillons d'amour

Comment t'aimer géométriquement
Quand autour de moi les soupapes s'ouvrent
Toutes grandes
Pour laisser passage aux frondeuses rivières

Le cercle fermé peut-il être notre lot
Comment être nous deux
Ermites de l'amour
Pour inventer nos sortilèges
Quand je sens au bout des doigts
Les hallucinations de la mer

Oh je voudrais pourtant
J'ai en moi plénitude du geste
Et solitude du mot
Pour toi je les avais gardées
En un magique écrin
L'infinitude de moi
C'était pour ta soute à miracles

Mais bourdonnent autour de nous
Comme autant d'aiguilles à enfiler
De bijoux à enchâsser
Les mouches d'une capiteuse surenchère

Et nous ouvrons souvent
Malgré nous et chacun son côté
L'armoire de nos rêves

Le monde est là qui gronde et nous appelle
Heureux à deux
Malheureux tout seuls
Pas question
Quand derrière et devant de tous côtés
Montent en un chant de sirène
Les échos d'un monde à faire

Et nos frères de sang
Et nos frères d'alliance
Qui n'en peuvent plus d'être seuls
Eux aussi
Mais sans toi

Comment nous murmurer à l'oreille
En tendres messageries
La couleur de nos silences
Et l'accalmie de nos orages

Pourtant
Moi
Je t'aime
Eternellement

87 *A Marie*

Tu m'excuseras Marie
Si je te parle de coquillages
De cailloux blancs et de sable fin
Si mes mots d'amour
Filtrés au crible de la colère
Ne laissent passer que des effluves
De vent d'écume et de mer
Et qu'y viennent tournoyer
Quelques goélands et quelques oiseaux du large

Je n'ai rien d'autre à t'offrir
Marie
Moi d'un pays sans cathédrales
D'une ville sans mystères
D'une maison où les fantômes
Depuis longtemps
Ne se donnent plus rendez-vous

Les orfèvres qui ont taillé ce dur diamant
C'est à la lime qu'ils oeuvraient
Etreignant une souple et sourde patience
J'en garde au coeur un grand désespoir
Que n'ont pas endormi encore
Avec leurs petits airs de gigue
Les violons du temps et des gens

En attendant
Marie
Viens me dire qu'il fait bon
Humer la fleur du jour
Et les vastes champs de trèfle mauve
Et nos blancs matins de gel de givre et de neige
Que je garde l'espoir
Dans cette grande pitié que j'ai
Des gens de mon pays

88 *Il y a toutes ces cloches*

Il y a toutes ces cloches
Qui sonnent au beffroi d'un temps nouveau
Funérailles de pantins qu'on ensevelit
Dans la joie
Epousailles de la vraie terre marine
Et de l'Homme d'ici

De la Nipisiguit pimpante de bleu
A la brune Petitcodiac
En passant par la verte échancrure
D'une Restigouche encore à naître
Plus tard peut-être
Le temps nous harcèle
En jets de lumière et d'avenir

Retrouvailles d'un ami
Qu'on avait cru mort à jamais
Parce qu'enfoui dans la solitude
De neiges envahissantes

Un vent d'espoir souffle sur nos têtes
Etourdissante poudrerie
Qui fait rêver à l'été tout proche
Plus tard peut-être...
Sans doute...
Quelque chose me dit...

Il y a toutes ces cloches

Et j'entends à gauche
La symphonie naissante
D'un peuple écrasé
Qui renoue avec de vieilles alliances
Et dont l'épiphanie nous ressemble
Et nous rassemble
Musique d'un vent du large
Autant que musique à l'envers de nous
Concerto d'un pays que l'on réinvente
En une alchimique électronie
Musique qui se fera bataillon
De hallebardes venues d'en bas
Pour remettre à l'ordre
Du jour
Ceux qui n'ont pas joué avec sincérité
Ou qui ont joué avec la sincérité

Musique
Musique
Musique

J'aurais dit ça aux sapins de mon île
L'autre jour
Ils en auraient pouffé
Et toute l'île avec eux
Serait partie d'un éclat de rire
Vaste
Comme la mer qui portait nos bateaux
Loin loin loin
Et plus loin plus loin encore
Nos rêves avortés

La déchirure définitive
Au flanc des vieilles combines
L'accouchement dans la douleur
J'en suis
L'amour
Au soleil réconcilié avec nos plages
J'en suis
Le réallumage de nos phares
Le branchement de nos tables d'écoute
Aussi

Mais tout ça en fin de compte
SANS FAUTE
Pour s'asseoir à la table
De notre dignité reconquise

89 Louis Mailloux*

Tu t'étais pris à ma mémoire
Comme un poisson dans un filet
Quand Majorique le vieux conteux d'histoires
M'a raconté dans les mots qu'il fallait
Que tu étais aussi beau qu'un érable
Et jeune aussi à dix-neuf ans
Et que ce fut un crime abominable
D'avoir ainsi fait mourir un enfant

Louis Mailloux ce soir je me sens ivre
Louis Mailloux ce soir je veux te vivre
Ailleurs que dans les livres
Voilà pourquoi
Autour de toi
Je veux chanter pour que fonde le givre

Ce n'était pas pour des chimères
Que Caraquet y a cent ans

---

*RAPPEL HISTORIQUE

En 1871, la Législature du Nouveau-Brunswick faisait voter une loi, le Common Schools Act *qui, entre autres choses, supprimait les octrois aux écoles confessionnelles et interdisait l'enseignement de la religion dans les écoles. Pour les Acadiens du temps, cela représentait une menace contre la langue. Ici comme au Québec, langue et religion allaient de pair et abandonner sa foi signifiait renier son mode de vie. C'était la culture acadienne dans son ensemble que l'on venait de condamner.*
C'est pourquoi, en 1875, à Caraquet, village acadien situé le long de la Baie des Chaleurs, un groupe d'Acadiens prirent les armes pour défendre leurs droits. Ils durent affronter en plein mois de janvier la milice de Chatam et de Newcastle, amenée d'urgence à Caraquet.
Au nombre des victimes se trouvait un jeune Acadien de 19 ans, Louis Mailloux.

C.D.

En plein janvier s'était mis en colère
En plein hiver a vu couler le sang
Quand on vous mord il faut bien se défendre
Et puis des chiens y en avait trop
Et quand les chiens ne veulent rien comprendre
Faut leur donner le coup de pied qu'il faut

Un coup de feu sans prendre garde
Et il fallait que ce fût toi
Et tout ce sang qui rougissait tes hardes
Et ce passé qui monte jusqu'à moi
Je veux qu'on sorte cela des Archives
Pour le semer aux quatre vents
Car tu es mort pour que les autres vivent
Et pour que soient plus libres nos enfants

Dernier refrain:

Louis Mailloux ce soir je me sens vivre
Louis Mailloux ce soir je te sens vivre
Ailleurs que dans les livres
Voilà pourquoi
Autour de toi
Je veux chanter pour que fonde le givre...

ADRICE RICHARD

90 *Nostalgie plagiée*

Vivre au milieu de toi
Couché entre tes deux seins
Je cherche ton rire des bois
Evangéline, mythe d'une mort
D'une vieillesse ridée
Qu'est devenue ta langue archaïque

Mes paupières sont trop lourdes
Je ne peux plus distinguer
Qui t'a violée et assimilée

Le dégoût traîne dans un ruisseau de sang
Où la haine, la peur et l'espoir
S'entrelacent dans ce coin de terre
A l'abri des Longfellow, Jones, Boudreau et
[Savoie

Que le temps fait défaut
Que la flamme est pâle
Mais le coeur au ventre
Perce ces grands espaces

L'Acadie, mon pays, ma patrie, c'est fini
Mais on a des tripes dans le ventre
Ce n'est pas en vous parlant de tendresse, de
[poésie
Que vous comprendrez
Déjà nous végétons sous un empire matraque
La rage gronde et la mort approche

Sous la souche de la non-identité
Pousse une violette qui ne connaît
Ni l'anglais ni le luxe
Mais qui cherche sa liberté

91 *Comédien*

Je suis un comédien
Qui n'a jamais su faire la grande scène
D'une constellation d'images occasionnelles

Le travail dans la prostitution
Du hurryup-nine to five
Dans les techniques d'aliénation

Assume le to be dans l'autre
A l'aide d'images motrices
Qui me disposent sur un éventail
Qui me coince et m'étouffe

Je me fais perroquet écrasé
Sur le plateau de la noble langue
Pour retirer les piastres de Nixon
Et enrichir mon wallet du sang noir de Washington
Du déchet vietnamien des canons américains
Et des débris des Guevara

Comédiens d'occasions, merde
Je veux en sortir des maudites boîtes de cracker
[Jack
Et vivre nu dans la société
Que la machine a enjôlée
Vivre, vivre, vivre
En toute liberté

RAYMOND LEBLANC

92 *Silences*

Il est des moments dressés en signe d'interdiction
Entre la femme source et la soif d'étreinte
Entre le fleuve d'été et les glaces d'hiver

Des heures calculées avant notre naissance

A même les cadrans de peur
Sonnant les secondes pour la frénétique danse du
[désir
Dans sa robe de fêtes et de miroirs

Il est de ces jours rongés depuis l'aube
Qui se faufilent dans nos illusions de chair
Frissonnant contre le rêve
Son geste et son sourire

De ces semaines qui surgissent telles des îles
Et je ne sais si je songe ma caravelle en dérive
Ou si la houle des secrètes cavernes
Me disperse en de vaporeuses arabesques pour
[m'y coucher

Il est de ces vies à toutes vies semblables
Comme fleurs prisonnières sous le béton
Tendues vers d'inaccessibles regards
Et qui
Pour ne pas déranger la musique d'une étoile
S'en retournent à leurs racines
Faute de langage

Pourtant

Nous n'avons pas voulu
Ce silence dérisoire
Des vivants

93 *Cri de terre*

J'habite un cri de terre aux racines de feu
Enfouies sous les rochers des solitudes

J'ai creusé lentement les varrechs terribles
D'une amère saison de pluie
Comme au coeur du crabe la soif d'étreindre

Navire fantôme je suis remonté à la surface des
[fleuves
Vers la plénitude des marées humaines
Et j'ai lancé la foule aux paroles d'avenir

Demain nous vivrons les secrètes planètes
D'une lente colère à la verticale sagesse des rêves

J'habite un cri de terre en amont des espérances
Larguées sur toutes les lèvres
Déjà mouillées aux soleils des chalutiers
[incandescents

Et toute parole abolit
Le dur mensonge
Des cavernes honteuses de notre silence

94 *Toi*

Tu es mon Pré-d'en-Haut ma colline vivante
Mon île Miscou mon chemin de terre
Ma maison de bûcheron mon sable de Shédiac
Mon nord et mon sud et l'est de ma géographie
Ma gigue et mon rock mon folklore ma chanson
Tout ce qui me rend à moi-même
A mes cours d'eau antérieurs
Et l'histoire d'être ici retrouvé
Dans la folie de t'aimer

95 *A celle qui est là*

J'avais perdu le sens de l'étoile sur ton front
Le sens de tes yeux feux-chalins
La nuit moins difficile à te rejoindre

L'amour tremblait d'être souvenir
Un taxi la rue interdite
Où la mort devenait piéton au détour fixé

Je ne croyais plus à toi alors que je te rêvais
[possible
Les affiches unilingues barraient ta naissance

Puis d'un seul regard je t'ai vue passer
Jusqu'au centre de ma solitude essoufflée
Sur mes lèvres sur mon corps

J'ai osé ton nom tes seins de feu l'alouette de ton
[espace
Un motel où te rejoindre pour m'éclipser dans
[l'émerveillement

Depuis je t'aime le chemin est ouvert le café chaud
[le matin inventé
Nous aimons nous aimerons pour vaincre ce qui
[nous dénonce
Par la nudité comprise par le temps habité
Et pour l'avenir de ceux qui sont là

96 *Petitcodiac (I, II, III, IV)*

(Symphonie verbale en quatre mouvements)

I

Brune vague pulsion à deux mouvements,
Tu te retournes des mers et leur bleuâtre horizon
Tu charries la boue comme autant de villages
Brisés
au croisement des villes anglaises

Hésitante volée à l'aile des goélands
Tu roules en toi-même un cri déraciné
Et Beauséjour forteresse ouvre ses murailles
A ton sang
s'éclipsant sous le drapeau
du Saint-Jean Britannique

Ton langage se dédouble
Aux poteaux unilingues
Et Mascaret s'achemine
Du silence maquillage

Tu te cherches aux rivages étrangers
Et les rochers te renvoient au mutisme des collines

Devant toi
se dresse
l'acier miroitant
SENTINELLE D'IRVING
et Moncton divisé métalliquement

Les clochers de Memramcook
Découpent leur chimère
Dans la fumée du C.N.R.
Qui étouffe de ses eaux tes chemins de fer
MONOTONIES
parallèles et unilatérales

II

Inconsciente vague tu me cherches un nom
Qui se perd dans un cerveau à deux lobes
Une rue sillonne un réseau vers le sud
Une direction s'interroge au carrefour de l'est

Je suis à ton image une blessure
Par où des images s'illusionnent à naître

Tout un peuple se désacadise au béton Albion
S'élite en boue chavirée
Et nous cordageons nos myopes écritures
En chalutiers fantômatiques

Nos forêts s'anglicisent d'agriculturomancies
Exploitées par les planifications de la mer loyaliste

Nous nous usinisons en son rouage à sens unique
Signe d'ossements dans la nuit

Nous éjaculons le séminal déhanchement
du sexe neutralisé
entre nos jambes émasculées

Ici j'exprime mon refus

III

Vagueroche
Je cristallise
Le créatif mot pur
Pour rupturifier
Le langage prisonbarin
Pour codifier la peauneuve
Déballée à l'oeil persiflant
Le mondimaginatif du noustemps futurime sse

Je refuse
d'ombicaliser
le bâtard enfantement
du pénisinstrument
JE REFUSE
Le lit rougifié
d'une sexualtomiorgie
machinique

Je ne veux plus m'enfarger
dans le viscéral englutinement
qui s'ossifie d'Ave Maris Stella
sur l'échiquier truqué de l'anglophonie

Et s'il n'y a de vivement racinique
qu'au St.-Laurent nordinisant

je me québecquiserai
MAIS

Jusqu'à l'épuisement intermédiaire
du balancement tomborisendre
je choisis de tranchifier
l'écorce tricolore
et l'accouplement britannicisant
du sidurgique propagandiste

C'est à NOUS la collectivigresse
de vulcaniser au feu systématique
le doucereux cérémonial
du liturgique cardinalomanieux

C'est à NOUS l'étudiantalprofessoros
de crachifier la mairie Johnastique
par la démastication décisive
du ruminage bon-ententiste

C'est à NOUS la pêcheuragriviente
de hachissifier les arbivorastres feuillages
pour que les panaches orgastiques
dégrongolossent

IV

LEVATE SPIRIMER POPULO

L'heure du révolutionnement
Se cristalictise
O chanp purifigamiste
é l'xcommunisiration indexique
deuh l'exploytérinoscéros

De ta maniloque empoigne la bannièrine
[ventorlopante
Et câblifie la foulante marchepéripatte

SORS de ta cavernomanie imbruiteuse
et ORAGIGROMME ton langarithme
pour tous les cervaulites anglophilisés

Le jour soléisiphiant
se pontifie
au magique envoutomatos
et déjà le Petitcodiac s'enhorizonize
du revirementaliste adamiton
françidivinisant risquement
la crichaude naissance
de l'énergiflixe propopulonisme

L'heur d'icidui
A nousensemblé
Le chaviremonument
Décrassifiant

Ai neaux pa raisonnyfi
Sur le pavérinthe

LA
VICTORICITENTE
DEFERLEMENTATION
de
la
MOUVAGUE

97 *Tableau de back yard*

bosses de maringouin
pelure de banane
bouchon de bouteille
bête à cosse
bois de popsicle
bête à patate
...comme si tou'l monde se connaissait

jardin de pepermint
bouchure
coeur de pomme
bouteille avec un trou dans le couver' pour
[attraper ces japs
close-pin cassée
marbles
chemin de terre
la rhubarbe volée est meilleure que la rhubarbe
[pas volée
potte de marbles
tag your it
...comme si tou'l monde se connaissait pas

pissenlit
pour faire des colliers et des bracelets et pour
[savoir si oui ou non on aime le beurre
pet de soeur
la vieille chède à su LeBlanc
tar paper
les gros rats à personne
(papier tarré)
qui sortait dessous la vieille chède à su LeBlanc
les cookies à ma tante Rosella
Pépére a encore viré une brosse
le chat a mangé ma collection de mouches mortes
candé noir
...comme si tou'l monde se connaissait

cloches d'église
première communion
se tenir la main...
...anne marie......
.......denise....
cachette à bouchette
sneakers
cloche d'église
« Yé 6 heures i faut rentrer dire le chapelet »
couvent des soeurs
images saintes
senteur d'un couvent de soeurs
hardes de dimanche
.....comme si tou'l monde se connaissait pas

pique nique des dimanches après-midi
après les vêpres
au premier ruisseau
en filant les poteaux de téléphone
en prenant le petit chemin
en passant à côté des maisons neuves
en passant à côté de su Jimmy Budd
ou en prenant le chemin de la pitt ou de la
[piggerie
pique nique des dimanches après midi
après les vêpres
au premier ruisseau.

la parenté des états
avec mon oncle Archie pi son wiskie
pi sa bière des états
Budweiser
la parenté de Montréal
avec mon oncle Franco
pi ses mets de spaghetti
pi ses enfants collés de popsicles
...comme si tou'l monde se connaissait pas

servant de messe de première classe
grand manieur de patène
acolyte même
30 cents par semaine
çé mon tour de servir la messe de 8 heures
avec ma soutane
et mon surplis
j'étais confortable
on pouvait se croire important, aussi
quand on allait virer la nappe de la sainte table
on pouvait se croire important
à vider une burette pleine de vin dans le calice à
[pére Pellerin
...trois gouttes d'eau et beaucoup de vin
on pouvait se croire important

quand s'ki fallait servir tout seul
ou quand on était dans l'église
et que quelqu'un d'autre servait tout seul
et que le prêtre nous faisait signe au sanctuaire
juste avant la messe
juste le temps d'enfiler n'importe quelle soutane et
[surplis
et de les attraper au Kyrie
ou à l'épître quand c'était pére Pellerin
ça lui prenait yank 20 minutes à dire une messe,
[lui
pi là i'avait les enterrements
avec les grandes chandelles
et les vêpres le dimanche après midi
avec l'ostensoir et l'encensoir.
Messe de minuit
petite
neige
folle
tombant doucement
droite
devant la porte d'église jusqu'à chez nous
et les pâtés à la viande
et les cadeaux de Noël

et les résultats de la partie de hockey
les bas de Noël remplis de candés de Noël
et la couleur de Nöel
et le coukage de Nöel
et le petit train de Nöel
et le matin de Noël
tranquille
pur
vrai
serein
et l'après midi de Noël
avec la parenté de Scoudouc
Alyre et Stella pi leur famille
avec la parenté de Shédiac
parrains et marrainnes
avec la parenté de Parkside
Alphée et Lina pi leur famille
Joyeux Noël
Noël de famille
Noël sans famille
Joyeux Noël et Bonne et heureuse année
drôle d'année
marquée de fêtes, de vacances et d'obligations
[religieuses
pour que personne s'ennuie
pi l'ya le Carême
le long carême sans candés
avec la messe à tous les jours
pi les chemins de croix les samedis
avec nos bottes d'hiver jusqu'à la Résurrection
et le printemps
la semaine sainte
les pâques
la pentecôte
les dimanches des rameaux
pas le temps de s'ennuyer quand té enfant de
[coeur
pi là ya la procession de la fête Dieu
su la Mountain Road
commençant à l'église

passant en avant de la Post Office
jusqu'à su Al's Variety
descendant la Le/furgey
traversant le traffic de la Connaught
passant devant la maison à su Cooper
devant la maison à su Sawyers
devant la maison d'su Thériault
en passant devant le champ où l'on jouait au baseball avec une balle d'éponge épluché et une
[bonne planche sans écharpes.
les soirs d'été
les soirs de printemps
et les soirs d'automne
se rendant enfin à l'école Verdun
où l'on s'agenouillait sur le gravaille dur
pour endurer les itannies de la Ste. Vierge
et les itannies de Ste. Anne
et les itannies de tous les saints
et on subissait l'exposition du saint Sacrement
une dizaine de minutes
le temps de se faire des genoux rouges
enfin on retournait à l'église
en prenant la Chester
en passant devant chez nous
et devant le magasin d'su Cathrine
et devant d'su LeBlanc, su Haché, su Lirette, su
[Léger
pour se rendre au coin de la rue
où on montait la Churchill
jusqu'à l'église
en tête, l'ostensoir et le saint Sacrement
(exposé depuis pâques)
suivi des vicaires
suivi des assistants vicaires
suivi de l'ensemble des enfants de coeur
suivi de l'ensemble des membres de lacordaire
suivi de l'ensemble des Dames de Ste. Anne
suivi de l'ensemble des Enfants de Marie
suivi de l'ensemble des scouts
suivi de l'ensemble des louveteaux

suivi de l'ensemble des guides
suivi de l'ensemble des croisées
suivi de l'ensemble des croisillons
suivi de l'ensemble des membres de l'exécutif du
[club récréatif
suivi de l'ensemble des membres de la Caisse
[populaire
suivi de l'ensemble des paroissiens...
...comme si tou'l monde se connaissait

écolier modèle
premier prix pour plus haute moyenne 2 fois
deuxième prix pour deuxième plus haute moyenne
[2 fois
prix pour le plus de progrès pendant une année
[scolaire
à la présentation des prix à l'école Verdun,
fin juin, 1961, '62, '63, '64.
Rangée par rangée
en ligne droite
à temps (pour quoi?)
rangée par rangée
en ligne droite
Vive la récréation
vive le temps libre
vive les vacances
champs de pissenlits
barbacue
kick the can
crocignole
océan d'eau salé, de sable, de coquillage, de jelly
[fish, et de sunburns...
de belles filles, de jambes, de culs et de corps nus
[étendus sur le sable.

Le tonnerre roule
et le temps se fait triste

back yard
senteur de chez nous
table de cuisine
pet de soeur

pot en pot
senteur de chez nous
back yard
senteur de mon père
senteur de ma mère
senteur de mon grand père
senteur de mes soeurs, de mon frère
senteur à moi
senteur de chez nous
comme si tou'l monde se connaissait
back yard

(juillet 72)

98 *Acadie expérience*

pot en pot
pet de soeur
poutinne râpée
pelletée de neige
pelletée de terre
pieds dans le derrière
vieille musique
sortant
d'un vieux radio
nous parlant d'Acadiens
nous parlant d'Acadie

jardin de cosses de fayo
de patates
de rhubarbe
et de CNR baloney

et on se souviendra
qu'on a rien dit

ej veux yank ouère
ej veux yank ouère
ej veux yank ouère
ey veux yank ouère
gachette de hell
D'la marde!
et on boira à votre santé
gachette de hell

yousské tou'l monde
Gallant's Confectionnery
Vanier Righ School
Marven's
Ed's Corner
Heinz ketchup
LeBlanc's Service Station
Boudreau's Variety
yousské tou'l monde
ma caisse de bière sous le bras
ej veux yank ouère
ça se peut bien
ça se peut pas
ça se peut
un truckload de péchés
et on pourra se toucher
l'argent puante
Té parti depuis une bonne escousse
et surtout
i faut pas laisser savoir qu'on est fou
et on pourra se toucher
yousské tou'l monde
chiesse qué au bathroom

asteur
right now
je mange mon frico au poulet
à petite cuillérée
en attente
du soulèvement général
yank que
mon frico au poulet

ya le temps de venir frette beaucoup de fois
ya le temps de passer beaucoup d'hivers
dans le fond de mon frigidaire
parce qui fait frette aussi
dans ce pays d'Acadie

Dans ce pays d'Acadie
de Caraquet
de Tracadie
de Shippagan
et de Shédiac
dans ce pays de folklore
où vivent de pêche et de terre
les gens d'Acadie
les Acadiens

les concierges
les laveux de toilettes
les pêcheux de homards
les pêcheux de saumons
les tradesmen
les bedeaux d'églises
les employés du C.N.
les curés d'églises
les bootlagers
les bûcherons avec leurs chain saws
les violonneux
les waitresses
les sagouines
les step dancers
les joueurs d'orgues et de pianos
et les pères de familles
et les fermiers su leurs terres
dans ce pays d'Acadie

Dans ce pays de Bouctouche
dans ce pays de Cocagne
dans ce pays d'Acadie
où vivent de bière et de prières
les gens d'Acadie
les Acadiens

On joue au fer à cheval
on joue au bingo
on joue aux cartes
au 200
on joue du violon
on joue au hockey et au fastball
on joue à l'homme de la ville
on joue au businessman
on joue au tuff guy
on joue à l'Anglais
on joue pour l'Anglais

Mais viendra un jour
dans ce pays d'Acadie
et sur les terres d'Acadie
et au large des côtes d'Acadie
que tous se reconnaîtront comme frères
et on sera tanné de jouer
aux jeux d'Anglais
et de faire à croire
dans ce pays d'Acadie
de terre et de mer

Acadie
j'ai faim de tes côtes
de tes rives
de tes collines
Memramcook
Petitcodiac
Sainte-Marie
et je me jetterai au large des côtes de Barachois
de patates bakées
et de poutines râpées
dans ce pays d'Acadie
où la terre est chaude
et où le vin est bon

Et les nuages crèveront
et les nuages verseront
des petits flocons de neige blanc frette
pour nous dire que c'est l'hiver

dans ce pays d'Acadie
de bankennes de neige
de mitennes brochées
de légginnes d'hiver
de driveway pas pelletés
...les chemins sont barrés quand la plow a pas
[passé
et de soirs d'hiver autour du foyer
avec les racontis à pépère
pi la senteur du bois d'érable brûlé
et de roulis de neige
et de bankennes de neige

mais viendra un jour
où le dégel se fera
dans ce pays d'Acadie
et les sourds se déboucheront
et la poésie coulera

vagues d'eau bleu vert salé chaude blanc
vagues d'eau bleu vert salé froide mousse trempé
[vague
sous un soleil d'été
après une pluie de mai
avant que les premières feuilles ne meurent
vagues d'eau bleu vert salé chaude blanc
vagues d'eau bleu vert salé froide mousse trempé
[vague

Et le sang va couler
sur les rues d'Acadie
entre poètes et faux poètes
et les sourds vont se bloquer
de bras déchirés
de têtes enfoncées coupées
de poignets disloqués
de jambes cassées
de foies rongés
d'ulcères d'estomacs
et de mauvaises herbes
mais viendra un jour
où la paix régnera
dans ce pays d'Acadie
et les sourds se déboucheront
et la poésie recoulera

A bas
les faux poètes
qui bloquent les sourds
de leurs présences
Place aux vrais poètes!
qui n'ont pas peur
de pas écrire
de se montrer
d'aller éparer
leur poésie
la poésie
partout dans ce pays d'Acadie
au bootlager du coin
à l'église
à la petite école
dans le jardin de mon oncle
dans un champ de pissenlits
dans un bateau de pêcheur
dans les collines
et les vallées
de ce pays d'Acadie

Et dans les rues!
Peinturer
en grosses lettres dégonflées
avec les cans de spray paint
sur les billboards à Irving
à Macdonald's, à Rubins et à Howard Johnson
sur les rues
sur les trottoirs
en rouge
en noir
en jaune
Irving une compagnie bien de chez-nous

Et les nuages crèveront
et les nuages verseront
des petits morceaux de charbon rouge chaud
et on fera un grand feu
dans ce pays d'Acadie
on fera un feu de camp
pour se réchauffer
pour s'amuser
pour changer l'Acadie
pour faire toaster nos hosties
et on sera loin
très loin
du frico au poulet
et du soulèvement général.

Et les nuages crèveront
et les nuages verseront
des petites gouttes de pluie ensoleillée
pour nous dire
que c'est le printemps
dans ce pays d'Acadie

(août 72)

ANDRÉ DUMONT

99 *L'homme à deux ans*

(cri) papa tan...tin papa...papa ga... go...lou ma... man...(cri)...ga...ga... tu...a...a lu ga... tu a...la...in! in!. (cri) (cri)...ga...donne li, donne, lo... ta...do li ga...tu...gi...tong pi long lo lo la la lai...a...a...a...go go... tu...ai...mon non lo lo...tu...lou les... lou toung...deu ça...lou lou...a lou mi namme...u...non les...non...non... non in...lo mi namme...deux... la...alo lang...non lou do...la lou lou mi namme... o pi ton...galouc galouc...ou waa aaaa!..ba ba... wa...in li ka ka...la ho...ou ou ou ou ou ou...beau in...mien mien... cou cou cou cou...ma mamma ma maman ma mamme...la gou lé la gou lé...la wou low...lou mamme...non...la bi la bi la... a leu bon...la bi de...beu...tow tow ta pi ta pi ta...tu... taaaaaa taaaaa... i...mon maw maw....ga li ga li ga la ga la gali gali...a no mi na...o ta ta mi namme... non donne mi namme...pppo pppo ppo...ga li, ga li, beau in, beauin...(cri) lou long toto papa...bon, bon...la maman... lo pou tong la...la pou ton...lo lo lang pou to toto papa in?...la pou ta...lo pou tong!...do, la, do,...la papa...man! man!... lo lang la papa? la? mon!... toto dadé, toto dadé toto dadé mamme... (chantonne)...bonnn!... bon... bègne bè bè... bai bai...bébé bébé... pi pip pi pip... (chantonne) mmm, mmm, ma mamme ma mamme mmm...beau toto papa, mm, a beau toto... la beau toto...beau lolo beau lolo pa (20 fois) tu? a toung lolo... é... (au volant) iin, iiin, iiiin...non! non! la mondi...peu tu?...maman... pi pi...non donne...la pou go... lo mène toto...où maman?...ga toto pépére, ga toto pépére... là pipi, là pipi...pa! paaa! là pipi!...no lè toung...ké... tapita... lo lo lou caca...lâ où maman in papa? bon? non lè pépére... galang galang...meu...bébé bébé... non tan toto papa...bai pa... lou magne go...mman! ppa!...lo tata papa...lo miname, a galou... ta pita...tin...la bidin, bidin... la pita...in... beau in...non lâ... dou? tu? tu?...wow!...lou lou lou lè pépére...poup! lèlèman! lèlè! do coco ga... a...lâ piton minamme papa...coco? coco...coco li... Aaaa...na miname pin, papa? dôte lèlè...non donne dôte papa lèlè lâ...là miname dôte lèlè lâ... à! lo miname piton papa non papa, non papa... là? do, papa? do? la piton hi...lou ma man, lou! la pou... où pou maman? où maman?...où pou? où pou? lâ pou, in maman? lâ pou! deu pou... deu pou...lâ fu, fu, hafu... non doune a papa...lo mino pita... tou, tou!...tou miname...lâ! in maman là? où dédé?...man! man! ing! igne! man! man! igne!...où ka? où ka?...lâ pougne...la pow... lolle, lolle... ma mame, ma mame... eeeee ma mame...eeeee ma mame... aaa! lâlâ!...dodo, dodo, bai!... lâ mu? lâ mû? aaaaa lâ...(couché).

100 *Rendez-nous notre terre!*

Aux honorables onze premiers ministres du Canada.

Vous qui aimez tant faire du théâtre, si vous voulez vraiment intéresser les spectateurs acadiens, remettez-leur donc une partie de la terre qu'ils ont colonisée.

Nous savons bien que trop que toutes vos autres promesses d'égalité s'adressent aux « innocents ».

Voici comment vous pourriez tracer l'ébauche d'un premier plan, en coulisse comme d'habitude, mais au moins honnête envers nous pour une fois.

Sur vos somptueux bureaux d'acajou, dépliez une humble mappe du Nouveau-Brunswick; placez-y une règle en diagonale de Grand-Sault à Moncton. En suivant bien cette direction, tirez une ligne au crayon d'un bout à l'autre et inscrivez de nouveau dans la partie supérieure de ce partage l'appellation ACADIE en grosses lettres.

Prolonger cette ligne pour inclure le Cap-Breton serait encore plus équitable.

Humblement vôtre
Un Acadien
André Dumont

101 *Blanc*

Nous sommes au bout du monde les taxis ne passent pas par là pas dans le bois pas dans les nuages les taxis ne viendront pas nous chercher sur la Baie gelée ni les chars d'assaut ni les avions réactés les taxis ne passent pas personne ne passe. La neige tombe en écrans c'est le bout du monde la neige tombe comme un grand drap sur un grand lit pour un trop bel amour qui n'arrive pas ou qui ne veut pas s'en venir.

102 *Jaune*

L'Acadie qui fond comme une roche au soleil tranquillement nous fondons aux soleils de méthane de plastique d'acier de tout le monde du plus fort de l'humiliation collective de la patience et du raisonnement nous comprenons tout nous comprenons qu'après avoir demandé poliment on nous dise que nous en avons trop nous savons dire please a minute please pardon me please thank you so very much please don't bother please I don't mind please et encore you're welcome please come again please anytime please don't mention it please PLEASE PLEASE PLEASE please kill us please draw the curtain please laugh at us please treat us like shit please le premier mot que nous apprenons à leur dire et le dernier que nous leur dirons please. Please, make us a beautiful ghetto, not in a territory, no, no, right in us, make each of us a ghetto, take your time please. Nous fondons comme une roche à la chaleur de l'indifférence de la tolérance de la diplomatie du bilinguisme du bien-être social de l'esprit de clocher de la patentisation du soleil de l'autruchisation de notre vue sur le monde de l'aplatventrisme chronique du stand-by please stand-by one two three TEST TEST TEST.

103 *Bleu*

Il n'y a plus d'Acadie. Il n'y a plus de bateau noir dans la mer avec des voiles blanches qui glissent sur l'eau notre mer notre atlantique notre désir de glisser au bout du monde mais nous sommes au bout du monde Il n'y a plus de voilier bleu comme celui sur lequel mon père a passé la moitié de sa vie entre le bleu du ciel et le bleu de la mer. Et je m'arrêterais d'écrire si je ne savais pas que le seul espoir de voir un nouvel équipage est celui qui se fait déjà dans les yeux de mon père qui part en voyage dans son Acadie plus loin que la mienne une Acadie qui n'est plus un enfer mais le désir de décrocher les haches des murs de la grange et de dire que c'est assez qu'on est arrivé au bout d'un monde qu'il faut enterrer ou bien s'enterrer soi-même. Et je suis à me demander si cet équipage prendra la mer un jour avec un soleil dedans si cet équipage prendra la mer devant ma mère qui prie les madones bleues pour mes péchés blancs et qui ne veut pas voir de sang rouge sur la neige blanche ni d'étendard noir dans le ciel bleu ma mère aux ongles brisés d'avoir trop fouillé la terre et qui a peut-être appris déjà à dire PLEASE.

104 *Rouge*

Acadie mon trop bel amour violé toi que je ne prendrais jamais dans des draps blancs les draps que tu as déchirés pour t'en faire des drapeaux blancs comme des champs de neige que tu as vendus comme tex vieux poteaux de clôtures tes vieilles granges tes vieilles légendes tes vieilles chimères blanc comme une vieille robe de mariée dans un vieux coffre de cèdre Acadie mon trop bel amour violé qui parle à crédit pour dire des choses qu'il faut payer comptant qui emprunte ses privilèges en croyant gagner ses droits Acadie mon trop bel amour violé en stand-by sur tous les continents en stand-by dans toutes les galaxies divisée par tes clochers trop fins remplis de saints jusqu'au ciel trop loin Arrache ta robe bleue mets-toi des étoiles rouges sur les seins enfonce-toi dans la mer la mer rouge qui va s'ouvrir comme pour la fuite en Egypte la mer nous appartient c'est vrai toute la mer nous appartient parce que nous ne pouvons pas la vendre parce que personne ne peut l'acheter.

105 Eugénie Mélanson

Ni les colliers d'eau douce
Ni les encensoirs en feu que les curés brandissaient durant les fêtes-Dieu
Ni les bannières du vendredi-saint
Ni les drapeaux tricolores
Ni les amours perdues
Ni les amours permises, encore
N'auront fait pâlir la beauté, Eugénie Melanson
Toi dont la photo traversa les années
Pour me faire signe
Un après-midi de juin, quand le ciel était trop bleu et que le soleil descendait trop bas dans un pays qui ne pouvait plus être le mien.
Tu étais la plus belle, pourtant,
D'autres te l'auront dit, bien sûr, mais j'imagine tes yeux sombres grands ouverts et qui regardaient à l'intérieur de ton corps pour ne plus voir passer les années sur ta beauté oubliée.
Tu étais la plus belle, pourtant,
Quand tu te déguisais en Evangéline pour pouvoir recréer avec des Gabriel de parade les dates mémorables d'un passé sans gloire, englouti dans les rêves et les poèmes d'antan que tu n'avais jamais lus.
Tu étais la plus belle, pourtant,
Quand un dimanche après-midi un photographe ambulant saisit la fraîcheur de tes dix-huit ans et fixa, par un procédé lent et douloureux, les séquelles imparfaites d'une candeur incroyable, rêve lent et presque sombre d'un désir de vouloir rester maintenant et toujours pour regarder le soleil s'estomper dans le ciel une dernière fois, oui, juste une dernière fois.
Tu étais la plus belle, pourtant,

Parce qu'un dimanche après-midi cette photo commença son existence et qu'un après-midi de juin, ta présence, m'a regardé et m'a arrêté.

Tu regardais de derrière ton cadre, du haut de ta robe noire, le visage contre la vitre.

Tu regardais mais tes yeux ne regardaient plus à l'intérieur de ton corps.

Tu regardais, Eugénie Melanson, je sais, tu regardais

Les vitrines bleues, les objets de piété, les berceaux bordés de dentelle, les haches accrochées dans l'étable, les charrues qui ne laboureront plus la terre, les meubles victoriens des gens qui étaient plus riches que toi, tu t'en souviens, les fanals à gaz qui clignotaient près de la porte quand par les soirs venteux d'automne, tes cavaliers venaient te reconduire jusque sur le perron de la porte, tu regardais les foyers avec de vrais bûches de bouleau, toi qui en avais toujours rêvé, tu t'en souviens, tu regardais les carrioles qui bondissaient sur la neige les dimanches après-midi où il y avait des vêpres à l'église et qu'emmitouflée dans les fourrures, tu croyais te rendre à la messe de minuit en plein jour...

Tu regardais tout ça, Eugénie Melanson, et pourtant...

Pourtant, tu étais plus belle que tous les rêves qui s'étaient aplatis contre la vitre par un jour de juin ou, ici, comme par tous les autres jours de juin, il ne s'est rien passé.

Tu étais plus belle que les médailles du Vatican qui allaient aux dignitaires dont ton mari te disait les noms parfois et dont tu voyais les portraits dans les journaux.

Et aujourd'hui...

Aujourd'hui, vous êtes tous ici

Vous êtes emprisonnés, toi, les médailles du Vatican, le tableau de la déportation, le drapeau de lin que monseigneur Richard avait fait faire et tous tes rêves qui vivent derrière les vitres de cette grande cage à nostalgie.

Tu es au bout d'un corridor et tu regardes venir les enfants qui examinent les vitrines bleues et qui ne remarquent pas ta photo qui est petite et perdue en noir et blanc.

Mais tu es la plus belle Eugénie Melanson, plus belle que Philomène LeBlanc, plus belle que Valentine Gallant, plus

belle que Euphrémie Blanchard qui sourit au bras d'Evariste Babineau, plus belle que les médailles du Vatican, que la signature de Champlain, que les cachets de cire du roi d'Angleterre, du roi de France ou d'Espagne.
Tu es la plus belle parce que je t'aime
Parce que tu ignorais qui étaient les Gibson Girls, les suffragettes, le cirque Barnum, les Beverley Folies, les frères Wright et Thomas Edison et que t'endormis près des berceaux bordés de dentelle.
Tu aurais dû te réveiller
Tu aurais dû te réveiller puisque c'est alors que l'envie de mourir s'agrippa à ton corps.
Tu aurais dû te réveiller, Eugénie Mélanson,
Mais tu t'endormis dans ton corps
En pensant aux vitrines bleues, à la signature de Champlain, au fort de Beaubassin, aux canons des vaisseaux français qui donnaient le feu en rentrant dans le havre de l'Île Saint-Jean...
Tu t'endormis
Tu t'endormis en rêvant
Tu t'endormis en rêvant à de nouvelles déportations.

106

Si tu me craches à la face pis que tu essaies de me donner une gratte, je n'écrirai pas un poème. Plutôt je pense que je me défendrai et je ne connais pas de meilleure manière de me défendre que courir. La poésie ce n'est pas une balle de fusil ni un coup de hache dans un arbre et ça n'a pas la senteur du hareng salé qui pourrit sur le quai. La poésie, non plus ça n'est pas vraiment acadien: le premier contact se fait à l'école et quand tu sors de là tu ne veux plus en entendre parler. À l'école on a jamais prétendu que c'était sérieux: pour ça il faut se rendre à «Bible Hill», c.à.d. à l'Université. Là, par exemple, on traite de choses sérieuses. Mais la vie est trop courte pour se prendre au sérieux. Donc passons et gambadons allégrement et rendons-nous où la voix nous appelle. La voix que tu entends bien sûr dépend de l'épaisseur de tes oreilles et on finit la plupart du temps par suivre le son de sa propre voix qui elle est perdue dans le désert. La poésie n'a pas tellement d'impact social; la télévision, la police, et la gang de fous qui nous gouverne au parlement en ont bien plus.

107

1

Acétone
dans la bouche de mon père
dans une manufacture de bombes
qui fait mourir des enfants neutres
la bataille pue
les crocodiles succombent
comme un film de guerre
en couleur sur des annonces de sang
qui passent pour des jouets d'enfants
quand Noël a fait mourir le Christ
dans une histoire
qu'on raconte
pour boucher un trou de peur

2

J'avais un mur dans la gorge
quand je mangeais des nudités
au bout du lit
les rêves avaient beaucoup souffert
nous n'étions ni jeunes ni vieux
et trop sûrs du néant
pour nous aimer dans un mystère

3

Pénis trop long
attaché pieux
à une corde trop courte sur le ventre ouvert
viscères crachés
le soir du silence par une bouche d'ivrogne
qui avait bu
ah, qu'il avait bu l'ivrogne
ce soir du silence qui mangeait les étoiles en rotant
pénis trop vert
contre un vagin trop bleu sans histoire d'amour
hommes nus
marchant sur les pieds dans des femmes nues
femmes molles
ouvrant des têtes d'hommes sur des bols de toilette
et l'ivrogne
qui fumait son haschish dans une pipe de plâtre
a creusé son silence
dans un cimetière où personne ne dormait plus
par ce soir d'été
qui mangeait les étoiles dans un grand bol
tandis que les hommes
se coupaient les mains en morceaux fragiles
qu'ils comptaient et recomptaient
en attendant l'amour
dans de fausses salles d'attente de carton peint

4

Il fallait que les girafes mangent le fusil
qui s'était exilé dans la tête du policier
elles auraient pu tout simplement
continuer à collaborer
avec les boîtes de soupe Campbell
pour refaire les salles de danse
en plastique
style moderne
discothèque
c'est cool c'est too much
c'est au boutte
elles auraient pu polir des serrures
de caisses d'épargne
faire des mitraillettes
clouer des cercueils dans le noir

5

J'aurais voulu écrire
comme dans une légende sacrée
des histoires
avec une mémoire pour les caresses
la bombe a sauté avant les fiançailles
les rats mangent des bouteilles
no return no deposit
et j'ai un coeur d'homme
au bout d'un fil
triste comme un massacre

108 *Message*

Ami,
Dans trois semaines je démarre
Distraction d'un satyre
Des illuminés
À l'assaut de l'esprit
Trafiquent au fond de mes fissures
Fin des ascensions
Il a la lèpre le cinglé
Pour expier mon poème
Je suis évincé de mon emploi
Liquidation
Pour le moment l'horizon
s'ouvre de quelques tranquilles ennuis
J'irai cet été
Raconter mes histoires à la ville

109 *Ainsi soit-il 1*

Depuis trois jours je fais de la méditation horizontale. Comme qui dirait, je liquide mes idées. L'air est trop sec, les mastoïdes ripostent. J'ai l'occiput vaporeux. À vrai dire, le froid m'endort. Le foid tout seul, qui tombe seul, sans la neige, c'est bien plus farouche. Et mon bouffon ébouriffé effrite ses idées.

L'autre jour, j'ai fait de la raquette. Je ne voulais pas souiller la nature. Deux corbeaux pris de désolation ont jeté des cris rauques dans le froid. C'est beau du noir dans le blanc. La vie s'apprend dans le vent; les pontifs s'encrassent et vivent l'erreur. Ils mutilent le réel.

Tout à l'heure j'étais rompu. J'avais les yeux tout crottés. Je cherchais en vain des trous pour regarder. J'entrai dans mes coulisses et je vis tout. Je riais comme un fou. Je voyais des lunes jaunes. Épatarigonflantes.

Mon oncle est arrivé des « States ». Il ne fait que manger et dormir. Rond en plein milieu, plat aux deux pôles. On dirait qu'il est pollué. Cet animal ventripotent est bouché par les deux bouts. Constipation intellectuelle. Il boit du Coke et mange des Noirs et ronfle les jambes en croix. Salut, vieux môme. En te voyant je m'exorcise de la ferraille, de l'image publicitaire. Bon appétit matière opaque. Surtout digère-toi bien.

110 Ainsi sont-ils 2

Depuis trois semaines je subis une cure de désintoxication. Grand Dieu! je suis allergique aux poils de chats. En plus des piqûres dans mon postérieur, mes parois frémissent de picotements. J'ai les coussins sensibles. Les antigènes crépitent dans mes veines; mon organisme fibreux s'écroule.

Je viens de lire du Sartre. J'en ai des nausées. Il a le sentiment trop aigu de sa condamnation. Boustifaille indigeste. Je ne veux rien savoir. Je veux retrouver mes cinq sens. Je n'aime pas le détenteur de la vérité, béatement satisfait. Culture en boîte de conserve. Déshumanisation. Sors de ton musée, Carabosse. Je m'emmerde à t'entendre. N'y aurait-il pas dans ton existence une marge d'indétermination? Capitaliste à casse-motte tu trouves ton bien dans le vaincu.

Le printemps est arrivé. Il est trop respectueux. Tout à l'heure, j'avais les deux pieds dans la boue. Je jouais, j'éclaboussais, je dégouttais. Autour de moi, les flasques d'eau pouffaient de rire. J'en avais la berlue. Je voyais des vomissures d'écume qui séchaient au soleil. J'étais tout beurré, rouge comme une citrouille. Salipopette, va te décrotter. Ce monde m'enchante. Depuis que la vie du paysan a cessé, les gens s'ennuient. Superstructurés. Regarde plus bas, cadavre. Sors du palier rationnel. C'est à la surface de la croûte qu'on éprouve la vie. Sous mon air piteux, j'oscillais d'étonnement. Je me dilatais. Béni sois-tu, fantôme.

111 Ainsi font-ils 3

Ce matin je me suis levé trop tôt. Je respirais mal. Le vrombissement de mes fosses nasales avait étranglé mon sommeil. Ma langue s'était engloutie à l'arrière du palais. Je me déshydratais. J'ai appuyé mon ventre doré contre mon lavabo et j'ai collé mon visage sur l'eau de ma débarbouillette. Puis, j'ai conjuré l'horrible. Ramasse-toi mal fichu. Relevez-vous angles mous. Bonnes ablutions.

L'autre soir, en prenant ma marche habituelle, j'ai rencontré ma tante Néphine. C'est une dame au chapeau fleuri, caqueteuse, plantureuse; une quarante-quatre au cube. Elle s'en allait « gamasiner en pancagne », comme elle disait. Elle me fait un peu pitié, tu sais. Déprimée au dedans, opprimée au dehors. Elle n'en finissait plus de me parler de ses perturbations gastriques. Gonflement de thé noir et de « cocholat ». Je regardais les mots épais qui sortaient de sa forteresse émaillée. J'assistais au triomphe de son intarissable affliction. Porte-toi bien opulente tante. Indigeste solitude. Pourquoi faut-il que la vie fleurisse plus aisément sur les lèvres qu'au fond des coeurs?

Moi, je marche pour marcher, pour rire, pour me dégonfler. Comme dirait l'autre: ça fait du corps au bien. Aujourd'hui les gens ne marchent plus, ils s'affairent et s'entassent entre les monstres de pierre. Avec des chiffres et du béton on parque des bêtes humaines. Robots épluchés. Dans les sentiers ensoleillés je trimbale mes galoches. Je m'émoustille. Je salue du regard les amours du printemps. Tais-toi farfelu, le jour s'incline. Enfile.

112 *pour t'aimer*

un pont couvert
beau comme notre-dame
                                        une trappe de homard
la senteur du tar sur le quai
je passe par là entre tes mains
aussi vrai que tes yeux parlent
d'un monde nouveau dans ton corps

on se ressemble par la soif
                    ton rire parfois
                    descend jusqu'aux tripes
et mes poèmes se dessinent.

113 *Vivre icitte*

vivre icitte
c'est timber en bas du Cloud 9
après une assemblée de la S.A.N.B.
quand y a pu rien à manger dans la cabane
je me crosse au bureau de Welfare
                    à la Plotte l'Assomption
au matin je te french le cul
et tu coules sur la ville
Évangéline freak dans la salle des nouvelles
mais tu me froliques les reins avec des éloèzes
        je me perds dans tes poils
        tu me fais bander en couleurs
        je te bois comme la Moosehead
la Main de Moncton rôte le chiac
et nous parlons sauvage
dans un pays de coup de poings.

114 *Enough will do*

prisonniers économiques
de la pourriture capitaliste
on a pu rien à perdre
y'a pu rien qui peut nous arrêter

pas même les prières
pas même les polices
la vie s'étouffe dans la craie
et des jeunes bandent sous leur pupitre
un prof vomit l'incohérence académique
les polyvalentes paralysent la création
des élèves élaborent une occupation-orgie

entre deux poèmes dans le rock dur de Lou Reed
nous explorons nos corps jusqu'à l'étourdissement
nous communions à la mescaline

y'a pu rien qui peut nous arrêter
on n'adhère pu aux walls
ni à la politicaillerie platte

y'a pu rien qui peut nous arrêter
parce qu'on a soif
la journée nous pèse sur les yeux
l'oppression nous éreinte
l'appétit nous pogne par la fourche
entêtés
pour vivre icitte.

115 *Point zéro, comme astheur*

je s'épare
dans les craques des
trottoirs de moncton (ou sous un
pileau de feuilles
l'école applaudit ceux qui
nous fourrent
la paranoïa
trotte dans les rues
quelque part dans la ville un
ouvrier écrasé
de fatigue rentre sur le shift de minuit
parce que
rien n'arrive

l'exploitation
se porte bien chez nous
à l'université on soigne le français
comme à l'hôpital goddam de
bons à rien
des poèmes
pour virer fou (aiguiser la nuit
oublier les mots d'ordre
les trippes en feu.

116 Chu pas content

chu pas content de la manière qui handlont le langage (à l'université de moncton, par exemple) ça fait que j'écris. j'écris en acadien, *par exprès*, contrairement à ce qu'en pensent les profs, ce n'est pas un caprice, mais une lutte. j'aime mieux voir *acadie rock* dans les mains des enfants que *l'évangéline* la salope. y'asseyont de nous avoir par la langue avant de nous avoir par la poche.
mon écriture se nourrit de rock'n'roll (les rolling stones, jimy hendrix, lou reed, jim morrison, beatles) de moosehead, de fench kiss, d'assurance-chômage, de welfare, de blues (john lee hooker, ulysse landry le magistral «troubadour» d'icitte, memphis slim, albert king, lighthin' hopkins, bessie smith), à *l'anti-oédipe*, à karl marx, à l'acide, au fricot, à tracadie, au frolic, à leroi jones imamu amiri baraka
l'écriture se frotte sur le ventre d'*électric ladyland*, s'épare sur une toune de violon (lignes à hardes, palourdes, bouillée de coques, mon chien max, pont couvert, la main street de moncton, kouchibougouac) écrire. poser des questions, donner de l'information, virer le langage à l'envers pour voir comment c'est huilé les mots, les phrases. écrire. créer un écrire qui dérange, qui incite d'autres écritures, des photos, des joints, de la mescaline, de l'assurance-chômage, de l'insubordination à grammaire et aux boss.
faire lire. faire écrire. faire vivre. changement/mutations. acte d'amour et de guerilla. mon poème bande dans tes yeux.

Sources

Flash, inédit.

L'Acadie parle, in *La Sagouine* (Le recensement), pp. 88-89, Ed. Leméac, 1971

1 (Chantée par Mme Zéphirin Dorion, à Port-Daniel, Bonaventure, en 1923. Document sonore no 3337, collection Marius Barbeau, Musée National du Canada. Le texte suivant accompagne la version. « Ça, ça été composé par Exibé Thériault, qui restait dans la Grande Anse. Il est mort ça fait à peu près 27 ans. Quand il est mort, il était entre 60 et 80 ans. Il était jeune marié, quand ce naufrage-là est arrivé. Je l'ai appris de lui-même. Il était venu se promener par ici. Il avait noté ça sur une feuille de papier avec une musique à manivelle. En dernier, il gagnait sa vie de place en place. Il chantait des chansons. Il l'avait notée. »).

2 Document manuscrit fourni par Monique Richard, Baie Sainte-Anne N.-B. Collection J.-C. Dupont.

3 Attribuée à Mme Donald Boudreau de Pré d'En Haut, N.-B. Document manuscrit fourni par S. Lucille Bourgeois. Collection J.-C. Dupont.

4 Document manuscrit fourni par Mme Ludivine Daigle (née Richard) Saint Louis de Kent N.-B. Collection J.-C. Dupont.

5 Document manuscrit fourni par Sr. Jeanne Maillet, Bouctouche, N.-B. Collection J.-C. Dupont.

6 Document manuscrit fourni par Mme Ludivine Daigle (née Richard) Saint-Louis de Kent N.-B. Collection J.-C. Dupont.

7 Informateur: M. Philippe à Martyr Leblanc, 86 ans, Cocagne, N.-B. Document sonore no 14-488, collection J.-Claude Dupont.

8 Document manuscrit fourni par Lucien Gallant, Grande Digue, N.-B. Collection J.-C. Dupont.

9 Document manuscrit fourni par Tilman Goguen, 65 ans, Cocagne, N.-B. Collection J.-C. Dupont.

10 Composition attribuée à Emilien Arsenault, Ste-Marie,

N.-B. (circa 1900). Document manuscrit fourni par Sr Ella Arsenault, n.d.s.c., Sainte-Marie, N.B. Collection J.-C. Dupont.

11 Document manuscrit fourni par Mme Florence Coyle, Moncton, N.-B. Collection J.-C. Dupont.

12 Document manuscrit fourni par Monique Richard, Baie Sainte-Anne, N.-B. Collection J.-C. Dupont.

13 Document manuscrit fourni par Lucien Gallant, Grand Digue, N.-B. Collection J.-C. Dupont.

14 Informateur: John Leblanc, Fatima, Iles-de-la-Madeleine, P.Q. Document sonore no 1044, collection Père Anselme Chiasson, cap., Archives de l'Université de Moncton, N.-B.

15 Document manuscrit fourni par Mme Joseph-Félix Arsenault, Egmont Baie, I.-P.-E. Collection J.-C. Dupont.

16 Note accompagnant la version: Arthur Leblanc de Bouctouche, N.-B. a écrit cette complainte le 10 mars 1938, avant de se suicider dans la prison de Richibouctou, N.-B. Document manuscrit fourni par Mme Rosaline Babineau (Daigle) de Petit Chocpiche, Richibouctou, N.-B. Collection J.-C. Dupont.

17 Informateur: Mme Edgar Roussel, 45 ans, 4 septembre 1953, Shippagan The Goulet, N.-B. Document sonore no 6205, Collection Dr. Gauthier, Archives de Folklore, Université Laval.

18 Note accompagnant la version: «Je l'ai appris du bonhomme Sifroid Thériault, de la Grande Anse. Ça avait été composé à Chipagan. C'était des filles qui avaient composé ça j'ai appris ça quand j'étais petite fille.» Informateur: Mme Zéphirin Dorion, Port-Daniel, Bonaventure, (née Roy à Bathurst, N.-B.). Document sonore no 3339, collection Marius Barbeau, Musée National du Canada, 1923.

19 Document manuscrit fourni par Sr Lucille Bourgeois, Pré-d'en-Haut, N.-B. Collection J.-C. Dupont.

20 Document manuscrit fourni par Donald Boudreau, Pré-d'en-Haut, N.-B. Collection J.-C. Dupont.

21 Informateur: Mme Pierrot Haché, 74 ans, de Le Goulet, Shippagan, N.-B. (12 janvier 1955). Document sonore no G-522, collection Dr. Gauthier, archives de folklore, Université Laval.

22 Document manuscrit fourni par Sr Jeanne Maillet, Bouctouche, N.-B. Collection J.-C. Dupont.

23 Informateur: Rose-Marie Babineau, 21 ans, Richibouctou Village, N.-B. Document sonore no 14-492 Collection J.-C. Dupont.

24 Notes accompagnant la version: « Composée par Joseph Daigle, 63 ans, de Baie-Ste-Anne. Il ne sait ni lire ni écrire. Le 20 juin 1959, 35 hommes perdirent la vie dans une tempête. Cet ouragan était annoncé à la radio, les pêcheurs n'y portèrent point attention, ils étaient ambitieux, l'abondance du saumon cette année-là était exubérante. Ils avaient déjà bravé des violentes tempêtes mais jamais un désastre semblable ne s'était produit dans cette région ». Document manuscrit fourni par Mme Rita Gibbs (née Gaudet), Baie-Ste-Anne, N.-B. Collection J.-C. Dupont.

25 Document manuscrit fourni par Mme William DesRoches, Miscouche, I.-P.-E. Collection J. C. Dupont.

26 Document manuscrit fourni par Sr. Jeanne Maillet, Bouctouche, N.-B. Collection J.-C. Dupont.

27 Informateur: Mme Joseph Haché, Rogerville, N.-B. Document sonore no 374, collection Père Anselme Chiasson cap., Archives de l'Université de Moncton, N.-B.

28 Document manuscrit fourni par Mme Joseph-Félix Arsenault, Egmont Baie, I.-P.-E. Collection J.-C. Dupont.

Document manuscrit no 92, collection P. Arsenault, ptre, Mont-Carmel,. I.-P.-E. Archives de Folklore, Université Laval, Québec.

30 (*15 février 1892*) Document manuscrit fourni par Mme William Desroches, 95 ans, Miscouche, I.-P.-E., collection J.-C. Dupont.

31 Informateur: Allan Kelly, Beaverbrook, N.-B. Document

sonore no 404, collection Père Anselme Chiasson, cap., Archives de l'Université de Moncton, N.-B.

32 Informateur: Rose-Marie Babineau, 21 ans, Michibouctou, Village, N.-B. Document sonore no 14-493 collection J.-C. Dupont.

33 Généalogie de Pierre à Eusèbe donnée à la suite de la complainte: Eusèbe à mon oncle Urbain et François Urbain était deux frères, premiers cousins à grand-mère Philomène. Agnès à Eusèbe, mariée avec avis à Joe Belone, la mère à Manuel à Gilbert, Eusèbe marié avec John Gilbert de Miscouche, Philomène mariée à Jack à Joe Manette, Eulalie mariée à Ephrem Caissie fils d'Ephrem, Pierre n'est pas marié, Etienne aux États-Louis. Document manuscrit fourni par Soeur Patricia Arseneault, c.n.d., Miscouche, I.-P.-E. Collection J.-C. Dupont.

34 Informateur: Mme Alex Aucoin, Chéticamp, N.-E. Document sonore no 524, Collection Père Anselme Chiasson, cap., Archives de l'Université de Moncton, N.-B.

35 Informateur: Philippe Ménard, Fatima, Iles-de-la-Madeleine, P.Q. Document sonore no 765, collection Père Anselme Chiasson, Archives de l'Université de Moncton, N.-B.

36 Informateur Rose-Marie Babineau, 21 ans, Richibouctou Village, N.-B. Document sonore no 14-495 Collection J.-C. Dupont.

37 Informateur: Mme Alcide Longueépé, Grand-Ruisseau, Iles-de-la-Madeleine, P.Q. Document sonore no 970, collection Père Anselme Chiasson, cap., Archives de l'Université de Moncton, N.-B.

38 Document manuscrit communiqué par Mme Ludivine Daigle (née Richard), Saint-Louis de Kent, N.-B. Collection J.-C. Dupont.

39 Document manuscrit fourni par Sr. Jeanne Maillet, Bouctouche, N.-B.

40 Document manuscrit fourni par Amédée Després, 75 ans, Cocagne, N.-B. Collection J.-C. Dupont.

41 Attribuée à Mme Alphée Porelle, Cap Pelé, N.-B. Manus-

crit fourni par Adrien Bourque, Cap Pelé, N.-B. Collection J.-Claude Dupont.

42 Informateur: Rose-Marie Babineau, 21 ans, Richibouctou Village, N.-B. Document sonore no 14-490, collection J.-Claude Dupont.

43 Document sonore no 1112, bobine no 100, Collection Luc Lacourcière et F.-A. Savard, Archives de Folklore, Université Laval, Québec. Chanteur, Berthier Perron, Saint-Raphaël-sur-Mer, Ile de Shippagan, N.-B.

44 Document manuscrit fourni par Mme Aurèle-E. Gaudet, Memramcook, N.-B. Collection J.-C. Dupont.

45 De Jean-Claude Dupont. Musique: Daniel Deschaîne.

46 De Calixte Duguay. Décembre 1970-janvier 1971.

47 **Le Petitcodiac**, in *Poèmes acadiens* p. 51, Ed. Fides 1955.

48 **Résignation**, in *Poèmes de mon pays*, 1949, p. 10

49 **Dépouillement**, in *Vers le triomphe*, 1950, p. 58

50 **Divine souffrance**, in *La vie en croix*, 1947, p. 77

51 **Une tourelle qui...**, inédit.

52 **Quand nous toucherons...**, inédit.

53 **Il faut que les paroles...**, inédit.
Pour une Amérique engloutie 1, in *Saisons antérieures,* éd. d'Acadie, p. 32

54 **Pour une Amérique engloutie** i, in *Saisons antérieures*, éd. d'Acadie, p. 32

55 **Pour une Amérique engloutie** 2, in *Saisons antérieures*, éd. d'Acadie, p. 34

56 **Pour une Amérique engloutie** 4, in *Saisons antérieures*, éd. d'Acadie, p. 37

57 **Nous irons dans la ville**, in *Saisons antérieures*, éd. d'Acadie, p. 48

58 **Lachigan**, in *Saisons antérieures*, éd. d'Acadie, p. 19

59 **Quand flambait la Saint-Jean**, poème inédit.

60 **J'ai pensé à toi toute la journée**, in *Paysages en contrebande à la frontière du songe...*, choix 2, poèmes, éd. d'Acadie, Moncton, 1974

63 **Chanson de septembre**, in *Silence à nourrir de sang*, p. 18, Ed. d'Orphée 1958

64 **L'Orée miraculeuse**, in *Les Cloisons en vertige*, p. 38, Ed. Beauchemin, 1962
63 **Mon Acadie**, in *Paysages en contrebande...*, éd. d'Acadie, p. 10
64 **Nuit de la poésie acadienne**, in *Paysages en contrebande...*, éd. d'Acadie, p. 12
65 **Complainte d'un vieux pêcheur**, inédit.
66 **Jos Fredric**, inédit.
67 **Viens voir l'Acadie**, inédit.
68 **Seins**, in *La revue de l'Université de Moncton, Poésie acadienne,* 5e année, no. 1, janvier 1972 U. de M.
69 **Je suis un sexe**, inédit.
70 **Poème**, inédit.
71 **Poème transcendantal**, inédit.
72 **Brusquement**, inédit.
73 **Vie de départ**; Revue V. de M. Poésie Acadienne.
74 **Le mutisme du silence**, inédit.
75 **Ma nuit de lumière**, inédit.
76 **Bombes**, inédit.
77 **Marine**, inédit.
78 **Anglicisation**, inédit.
79 **Vieux pêcheur**, inédit
80 **Hôtel Royal — 6 heures du matin**, inédit.
81 **Mouillure**, inédit.
82 **Crainte**, inédit.
83 **Réveil**: paru dans *La revue U. de M. Spécial Acadie 2055,* 6e année, no 2, mai 1973
84 **Mords Acadien**, inédit.
85 **L'Acadie ma seule patrie**: poème lu à la Nuit de Poésie Acadienne.
86 **Comment te le dire**, in *Les stigmates du silence*, Calixte Duguay, éd. d'Acaie, Moncton, 1975
87 **À Marie**, in *Les stigmates du silence,* Calixte Duguay, éd. d'Acadie, Moncton, 1975
88 **Il y a toutes ces cloches**, in *Les stigmates du silence*, Calixte Duguay, éd. d'Acadie, Moncton, 1975.

89 **Louis Mailloux**, in *Les stigmates du silence*, Calixte Duguay, éd. d'Acadie, Moncton, 1975
90 **Nostalgie plagiée**, inédit.
91 **Comédien**, inédit.
92 **Silences**, in *Cri de terre*, éd. d'Acadie, p. 14
93 **Cri de terre**, in *Cri de terre*, éd. d'Acadie, p. 43
94 **Toi**, in *Cri de terre*, éd. d'Acadie, p. 37
95 **A celle qui est là**, in *Cri de terre*, éd. d'Acadie, p. 36
96 **Petitcodiac**, in *Cri de terre*, éd. s'Acadie, p. 46
97 **Tableau de back-yard**, in *Acadie Rock*, éd. d'Acadie, p. 31
98 **Acadie Expérience**, in *Acadie Rock*, éd. d'Acadie, p. 22
99 **L'homme à deux ans**, inédit.
100 **Rendez-nous notre terre**, in *L'Acayen*.
101 **Blanc**, in *Mourir à Scoudouc*, Herménégilde Chiasson, éd. d'Acadie, Moncton, 1974
102 **Jaune**, in *Mourir à Scoudouc*, Herménégilde Chiasson, éd. d'Acadie, Moncton, 1974
103 **Bleu**, in *Mourir à Scoudouc*, Herménégilde Chiasson, éd. d'Acadie, Moncton, 1974
104 **Rouge**, in *Mourir à Scoudouc*, Herménégilde Chiasson, éd. d'Acadie, Moncton, 1974
105 **Eugénie Mélanson**, in *Mourir à Scoudouc*, Herménégilde Chiasson, éd. d'Acadie, Moncton, 1974
106 **Si tu me craches...**, inédit.
107 **Poème**, inédit.
108 **Message**, inédit.
109 **Ainsi soit-il**, in *La revue, Spécial Acadie 2055*.
110 **Ainsi sont-ils**, in *La revue, Spécial Acadie 2055*.
111 **Ainsi font-ils**, in *La revue, Spécial Acadie 2055*.
112 **Pour t'aimer**, inédit.
113 **Vivre icitte**, inédit.
114 **Enough will do**, inédit.
115 **Point zéro, comme astheur**, inédit.
116 **chu pas content**, inédit.

Biographies

ANDRÉ ARSENAULT

Né à Egmont Bay sur l'Île du Prince-Édouard en 1931. Après des études, il revient en Acadie en 1966 où il enseigna les Beaux-Arts à l'école de Bouctouche. Son approche saine et inouïe de l'enseignement de la peinture, ainsi que son honnêteté lui valurent une mise à pied en 1973. André Arsenault vit présentement en exil au Québec.

GUY ARSENAULT

Né à Parkton (Moncton) le 2 février 1954. Il fut enfant de chœur pendant 3 ans et a livré *l'Évangéline* pendant 6 ans. En décembre 1973 il publie *Acadie Rock* aux Éditions d'Acadie à Moncton. Tout en continuant d'écrire, Guy Arsenault travaille également dans la peinture.

EDDY BOUDREAU

«*Eddy Boudreau*, né au Petit-Rocher, a été de bonne heure visité par la maladie. Cette maladie et son cortège de peines morales lui deviennent «un moyen de régénération personnelle» et un instrument d'apostolat. Sans le silence et la solitude de la souffrance physique, il aurait moins compris la place que Dieu veut occuper dans sa vie. *La Vie en Croix* (1947) renferme d'excellentes leçons morales aptes à inspirer tous ses lecteurs. Le long des pages de «La Vie en Croix», Eddy Boudreau note les découvertes morales que la maladie lui a permis de faire.

En 1950, encouragé par de nombreux amis, l'auteur publie à Québec un deuxième volume intitulé «*Vers le triomphe*», avec préface de M. Alphonse Désilets.

«Du grand désespoir naît le précieux bonheur.»
«L'adversité n'est qu'une étape à franchir.»
«Le port ourdit dans le mystère.»
«Vivant, j'étais muet. Malade, Dieu permet que je chante.»
«Toute chose de malheur doit porter le baptême.»
«Et l'homme pour survivre a besoin de pleurer.»

Courts textes qui résument toute la philosophie d'Eddy Boudreau.»

Notes sur Napoléon Landry et Eddy Boudreau tirées de *l'Action Nationale: Acadie 1961*, Vol. L. no. 8, Montréal.
L'article est signé Marguerite Michaud

DENIS BOURQUE

Je suis né à Moncton, au numéro zéro de la Rue du Déracinement et de l'Exil. (C'est la deuxième déportation...) J'ai grandi dans un trou et à l'âge de dix ans j'étais déjà un expert dans l'art de me cacher et de rien dire. Le reste de l'histoire, c'est ce voyage seul le long des précipices de la mort et du suicide, la «longue marche» intérieure contre la déformation... Et puis, les tentatives d'amour dans la nuit et l'espoir (défiguré) d'une lutte collective... Miss Ultra Bright à la T.V. et la police aux coins des rues...
J'ai dû faire un choix: je savais bien que si je décidais de continuer la lutte, un jour ou l'autre «ILS» finiraient peut-être par me tuer. Mais je préfère la mort au suicide mental dicté par le système. Et je sais qu'une fois engagé sur le chemin de la vie et de la liberté... il n'y a plus de limites. L'autre jour j'ai été à Richibouctou et tout d'un coup j'ai senti le paysage s'illuminer. À ce moment-là j'ai su qu'un jour nous serons libres et nous aurons notre pays.

Signé: Denis Bourque

HERMÉNÉGILDE CHIASSON

1946 — Naissance le 7 avril en pleine tempête de neige.
1947 —
1948 —
1949 —
1950 — Première visite à la crêche de St.-Simon. Choc visuel.
1951 — Entreprend études primaires à St.-Simon.
1952 —
1953 — Un avion a passé le mur du son. Je le saurai plus tard.
1954 — L'année mariale. Tout le monde a péché.
1955 — Bi-centenaire de la déportation des Acadiens.

1956 —
1957 —
1958 —
1959 —
1960 — Le secret de Fatima. La fin du monde.
1961 —
1962 —
1963 — Termine études secondaires.
1964 — Entreprend études universitaires à Memramcook.
1965 —
1966 — Continue études secondaires à Moncton.
1967 — Termine à Moncton. BA ba. Wow. Shidaboudouwa.
1968 — Écrits et actions clandestines.
1969 — Études en BEAUX-ARTS chez les anglais de sackville.
1970 — Poèmes partitions — poèmes actions.
1971 — Recherchisse à la CBC. Termine à Sackville. BBA. Wow.
1972 — Publication de l'Anti-Livre avec J. Savoie.
1973 — Journalisse à Radio-Canada. Employé à l'UdeM.
1974 — Employé de l'UdeM. Publication de « Mourir à Scoudouc ».
1975 — Études à Paris. Production de textes.

Signé: Herménégilde Chiasson

CLARENCE COMEAU

Né à Néguac, étudiant en philosophie, empli de dettes, vis de l'assurance-chômage, d'assistance-sociale, de projet P.I.L. etc... tout comme les autres Acadiens poignés à lutter pour la survie. Entretemps, se soûler pi...

Avant d'écrire, il faut manger même s'il faut manger pour écrire. Après le ventre plein, l'on pourra s'asseoir et rédiger de grands textes littéraires. Le problème linguistique des Acadiens est un aspect à considérer mais il y a l'aspect économique qu'il faut avouer. Les Acadiens l'ont déjà fait mais il reste qu'ils sont prisonniers du système capitaliste. Voilà c'que veut dire les militants acadiens y compris les poètes et écrivains. Actuellement, Clarence écrit pour la même raison que tout autre militant acadien qui veut voir l'Acadie acadienne et libre.

Signé: Clarence Comeau

RONALD DESPRÉS

— le 7 novembre 1935, Ronald Després voit le jour à Lewisville, banlieue de Moncton
— entre 1935 et 1953, il fréquente l'école King George, le Collège Saint-Joseph, le Collège l'Assomption de Moncton et le Collège Ste Anne de Pointe-de l'Église, en Nouvelle-Écosse
— entre 1941 et 1955, il étudie le piano et donne des récitals à la radio et à la télévision
— en 1954, il séjourne à Paris où il suit des cours de philosophie et de musique tout en rédigeant ses *Esquisses Parisiennes* pour l'ÉVANGÉLINE; en 1956, il obtient la licence en philosophie
— une année de journalisme à l'ÉVANGÉLINE
— entre 1957 et 1962, il est traducteur des débats à la Chambre des communes, à Ottawa
— en 1962, on le nomme interprète de conférence au Parlement, et il voyage beaucoup, travaillant «par détachements» pour plusieurs organisations mondiales
— en 1971, il est chargé de mettre en place un nouveau système de traduction et d'interprétation des comités parlementaires et de la formation des traducteurs-interprètes; l'année suivante, il assume la direction du Service des conférences et, en 1973, celle de la formation et du perfectionnement au Bureau fédéral des traductions, organisme qui groupe plus d'un millier de traducteurs et d'interprètes professionnels
— en 1958, publication de son premier recueil de poèmes, *Silences à nourrir de sang*
— en 1962, paraissent un roman-sotie, *Le scalpel ininterrompu* et un autre recueil de poèmes, *Les cloisons en vertige*
— enfin, en 1968, son dernier recueil de poèmes subventionné par le Conseil des Arts, *Le balcon des dieux inachevés*

Étude de l'oeuvre de Ronald Després par Laurent Lavoie (paru dans «La revue de l'Université de Moncton», janvier 1972), *Élé-*

ments de biographie, p. 122, *Paysages en contrebande* à la frontière du songe, choix de poèmes, Ronald Després, Éditions d'Acadie, Moncton, 1974.

CALIXTE DUGUAY

Né à Ste-Marie sur Mer (Île Lamèque), Calixte Duguay a été professeur de littérature canadienne-française au Collège de Bathurst puis directeur de chorales, poète et chansonnier. Marié et père de famille, (il a écrit des chansons sur l'enfant et l'amour) Calixte Duguay a participé activement à de nombreux festivals de Shippagan à Moncton criant la révolte de Louis Mailloux et celle de la mer, le rêve d'un pays et l'aliénation acadienne. Il a fait des tours de chants au Québec et en Acadie remportant le Grand Prix de la section auteurs-compositeurs-interprètes au Festival de la Chanson à Granby et le premier prix de poésie au Festival de Caraquet auparavant. Auteur de poèmes « Stigmates du silence » aux Éditions d'Acadie, il a également écrit la musique pour un spectacle musical « Louis Mailloux » joué cet été; Jules Boudreau a signé les monologues, Réjean Poirier (Les Productions de l'Étoile) la mise en scène avec des amateurs du Nord-Est. Il est actuellement animateur d'une émission musicale « Encore Debout » à Radio-Canada, Moncton, N.-B., poursuivant ainsi l'animation musicale par un soutien continu aux artistes de la région que le Frolic et autres fêtes du village ont fait connaître au public. Calixte Duguay a également participé au film « Une simple histoire d'amours » en tant que compositeur.

ANDRÉ DUMONT

Né en Acadie (nulle part), au pied du Pain de Sucre, en 1929 (l'année de la crise) — septième d'une douzaine d'enfants — petite enfance dans un voisinage anglais (à majorité française) — enfarmé dans un couvent de Soeurs à l'âge de 8 ans — enfarmé de nouveau dans un collège de Pères à 12 ans — subit des études (...) classiques — erré de long en large de par le Gênada à faire toutes sortes de choses pendant dix ans — même rentré à l'univarsité (!) — diplôme en plomberie — tuyauterie — stage dans les forces» armées — technicien en radar — baccalauréat (?) en pédagogie — marié (à jamais) — maître d'école (haïssable) — 4 enfants — quadrilingue (une langue vivante, une malade, deux mortes) —

La poésie m'apparaît comme l'art de sentir et de faire sentir l'indicible. C'est peut-être pour cette raison qu'elle surgit des plus vives passions, qu'on la trouve à son état le plus pur chez l'adolescent et le vieillard, aussi qu'elle abonde florissante au sein des peuples en révolte.

Signé: André Dumont

LÉONARD FOREST

Léonard Forest est né le 17 janvier 1928 à Chelsea, au Massachusetts. Ses parents, qui étaient originaires du Cap-Pelé (N.B.) et de l'Île du Prince-Edouard, revinrent se fixer à Moncton, au Nouveau-Brunswick, lorsqu'il était âgé de dix-huit mois. Après ses études classiques à l'Université de Saint-Joseph de Memramcook, il débute dans le journalisme écrit à l'ÉVANGÉLINE (Moncton) et le journalisme radiophonique au poste CFCF (Montréal). Depuis 1953, il est à l'emploi de l'Office national du film du Canada. Il habite Montréal depuis 1956. Son métier de cinéaste l'a ramené souvent en Acadie où il réalisa deux documentaires dès 1955 et 1956. Depuis 1966, sa principale activité cinématographique s'est située en Acadie (LES ACADIENS DE LA DISPERSION, LA NOCE EST PAS FINIE, UN SOLEIL PAS COMME AILLEURS). À Montréal, il a publié plusieurs séries de poèmes, des essais et des nouvelles dans «Liberté», «Les Écrits du Canada français» et «Châtelaine». En 1973, il regroupait ses poèmes dans un recueil, intitulé SAISONS ANTÉRIEURES, que publiaient les Éditions d'Acadie, à Moncton. Un deuxième recueil doit paraître bientôt chez le même éditeur.

RHÉAL GAUDET

Né à St.-Joseph de Memramcook, Rhéal Gaudet a écrit et animé de nombreuses séries d'émissions à la radio et à la télévision de Radio-Canada de 1958 à 1969. Il est Maître ès Arts et diplômé d'universités canadiennes et européennes dont la Sorbonne. Il est présentement réalisateur au service de la musique classique à Radio-Canada, Montréal.

GUY JEAN

Né à Campbelton en 1935 et vivant actuellement à Hull Guy Jean, après avoir passé dans les institutions collégiales, a appris à se libérer pendant les 10 années de vie professionnelle dans la région de Bathurst en animation socio-économique auprès des étudiants et des jeunes travailleurs. Ses poèmes, écrits pendant cette période, reflètent son désir d'écouter les espérances des gens qui éclateront, par après, dans une prise de parole. Il a lu ses poèmes dans les boîtes à chansons où se retrouvaient des ouvriers, des étudiants, intéressés à exprimer leurs revendications. En désaccord avec les institutions, Guy Jean est parti sans oublier l'Acadie et ses révoltes.

(propos recueillis par téléphone)

DONAT LACROIX

Fils de pêcheur. Né en 1937.
Un long jeu enregistré en mars 1974.
Bachelier ès Arts du Collège de Bathurst en 1958.
Depuis 1966, professeur-animateur à l'Institut de Memramcook.
Fait des annonces pour la bière Schooner et Mother's Own Bread et les Caisses populaires acadiennes.
Bachelier ès Sciences des pêcheries, la Pocatière, Québec en 1962.
À imité le Père Gédéon et Gilles Vigneault. Se présente parfois comme Jos Manigo, pêcheur.
A fait 16 ans de théâtre, a été membre des chorales du Collège de Bathurst de l'Université St.-Joseph, de l'Université de Moncton et des Chanteurs du Mascaret.
Sa femme, Emérentienne Lacroix, chante souvent avec lui.
Écrit ses propres chansons: il a participé à de nombreux festivals de la province ainsi qu'au festival de folklore de la Beauce et à celui de Granby.
A participé à de nombreuses émissions de radio et de télévision en Acadie et au Québec. (Radio-Stop, Mille et une notes, Tournesol, Place aux femmes, Les travaux et les jours, etc.)

Participation aux nuits de poésie et au Frolic Acadien.
Parmi les chansons les plus connues: « Viens-voir l'Acadie, Jos Frederic, Saute dans ta barge, Berceuse » ses propres compositions ainsi que les airs de folklore « Drole de vieille, La barbe à Martin, Le mal de dent ».

Information: C.P.D.C. et autres sources

NAPOLÉON LANDRY

« Le père *Napoléon Landry* a été surnommé le poète épique de l'Acadie. Tout comme Victor Hugo avait voulu montrer l'épanouissement du genre humain de siècle en siècle ou que Louis-Honoré Fréchette traçait l'évolution de la race canadienne, le Père Landry évoquait dans ses deux grandes publications — *Poèmes de mon pays* (1949) et *Poèmes Acadiens* (1955) la renaissance de son peuple. Dans ces récits nous trouvons la flamme de vie ardente qui fait revivre l'âme de la Nouvelle-France. Très documenté sur l'histoire d'Acadie, le poète rappelle l'époque des luttes, des aspirations, et des angoisse ancestrales.

C'est probablement cette réalisation qui a poussé les sociétés poétiques de la France de choisir le Père Landry lauréat de l'Académie des Jeux Floraux de Lyon en 1951 et à lui accorder le grand prix de l'Académie Française en 1955. L'on pourrait se demander souvent si ses compatriotes sont sensibles à ces succès ? »

ULYSSE LANDRY

Né à Cap-Pelé en 1950 sans la permission du curé. Mourra probablement d'ici vingt ans d'une bombe atomique ou d'une matraque de police

Signé: Ulysse Landry

GÉRALD LEBLANC

Naissance bio-chimique à Bouctouche un 25 septembre. Élevé dans l'air salin à l'ombre de l'église et de la R.C.M.P., les orteils dans le sable et les bois pas trop loin. Voyages: Saint John, Montréal, Boston. De retour en Acadie depuis 4 ans.

Naissance politique/poétique en 1971: rencontre de Raymond Leblanc et Guy Arsenault. Autres influences: Les Doors, Aragon, le frolic, Pauline Julien, le Bison ravi, les tavernes, la dope et l'école, Dylan, le rire de Roger Vautour, Thelonious Monk, Brecht, mon chien Max, Moncton, mon oncle Raymond, Herménégilde, les toiles d'Yvon Gallant, Régis Brun, Nina Simone, le monde de par che nous. Projets: écritures, films, faire l'amour souvent, commencer à reprendre ce qui nous appartient.

Signé: Gérald Leblanc

RAYMOND LEBLANC

Né à St.-Anselme étudié à Moncton, St.-Louis de Kent et Aix-en-Provence
Aime chanter, jouer du piano, jammer avec des amis-musiciens, faire l'amour, vivre au boutte, écrire, composer, rire, lutter, dénoncer travail: avec les pêcheurs, chômeurs
ex-recherchiste à Radio-Canada, stage de journalisme à l'Évangéline
participé à l'organisation des Nuits de Poésie, du Frolic Acadien, des Éditions d'Acadie, de la revue l'Acayen
enseigné la philo. à Moncton et Rivière-du-Loup
un insatisfait chronique, vit dialectiquement

GUY LETENDRE

Originaire de Moncton, Guy Letendre se montre dans sa poésie solidaire des ouvriers et des humbles. À travers l'actualité (Kouchibouguac où l'on ferme des villages de pêcheurs pour faire place à un parc touristique) ou la figure d'un grand-père, il cherche, dans une forme simple, à établir un nouveau rapport avec le public, à toucher la sensibilité populaire.

RINO MORIN

Edmundston, Madawaska
à la recherche d'une voie théâtre arts visuels
Sénégal
à la recherche de l'autre animation
Montréal

à la découverte de soi   poésie
une poésie   les cadences heurtées d'une vie
un accord unique pour rejoindre le silence
et mourir dans ce qui est sans mort
l'expression d'une réalité ineffable
qui étrangle toute parole
un amour qui se rit des mots, renonçant à toute limite
pour atteindre la vérité
une recherche à la fois pour lui et l'autre
d'un secret de vivre et de rêver
un cœur qui n'aura jamais fini d'être
là où il court

G.C. Thériault

ADRICE RICHARD

Né à St.-Ignace dans le comté de Kent.
Études à l'Université de Moncton.
Depuis quelques années est enseignant.
En plus d'écrire, il a travaillé également avec le Théâtre Amateur de Moncton (T.A.M.).

REYNALD ROBICHAUD

« Il confie au langage ses doutes et ses interrogations. Une poésie sobre et naturelle dans la réflexion intime qui accompagne la recherche du sens de l'Homme, des choses et de la vie. »

Extrait: *Écrits du Canada Français*, 38, Jeunes écrivains acadiens, Montréal, 1974

ROGER SAVOIE

Professeur de philosophie (ou d'anti-philosophie) au C.E.G.E.P. St.-Laurent à Montréal, marié et père de famille, Roger Savoie dit de lui-même qu'il est « sans nom, sans patrie, sans origine, sans direction, sans boussole. »

ROBERTHE SÉNÉCHAL

Née à St.-Quentin, N.-B.
Études: Campbellton, Collège St.-Louis-Maillet,
Collège de Bathurst
Université de Moncton
Université de Toulouse
Université de Paris (Sorbonne)
Professeur de Français à l'École Secondaire Vanier de Moncton, elle retourne aux études en France où elle prépare une thèse sur le problème de l'enseignement de la littérature dans les écoles publiques en Acadie. Rentrée au pays depuis un an, elle participe actuellement au programme fédéral de l'enseignement du français, langue seconde, à l'Université de Moncton.

Publications: Journaux étudiants: *Le Basilien* de St.-Louis-Maillet; *L'Écho*, Collège de Bathurst; *Liaisons*, Université de Moncton; *La Revue*, Université de Moncton; *Anthologie des poètes acadiens*, Cercle littéraire La Sagouine, *Rimes et mots*, recueil de poésie, publié par la F.A.G.E.C.A. à la suite d'un concours de poésie inter-collégial au N.B.

Table des matières

POÉSIE TRADITIONNELLE

POÉSIE DE L'EXIL

LA JEUNE POÉSIE

Achevé d'imprimer à Montmagny
par les Travailleurs des ateliers Marquis Ltée
en décembre 1976